I0817319

Alfons Kitzinger

Δίχως σπαθιά και βόλια

Ohne Schwert und Kugeln

Bilder aus Griechenland
von Josef Schwind
1942 - 1944

PELEUS

STUDIEN ZUR ARCHÄOLOGIE UND GESCHICHTE GRIECHENLANDS UND ZYPERNS

BAND 44

IN KOMMISSION BEI
HARRASSOWITZ VERLAG
WIESBADEN

Alfons Kitzinger
Herausgeber

Δίχως σπαθιά και βόλια

Ohne Schwert und Kugeln

Bilder aus Griechenland von Josef Schwind 1942 - 1944

PELEUS
Studien zur Archäologie und Geschichte Griechenlands und Zyperns
Herausgegeben von Reinhard Stupperich und Heinz A. Richter
Band 44

Bibliografische Information der Deutschen Nationalbibliothek
Die Deutsche Nationalbibliothek verzeichnet diese Publikation in der Deutschen Nationalbibliografie; detaillierte bibliografische Daten sind im Internet über http://dnb.d-nb.de abrufbar.

Bibliographic information published by the Deutsche Nationalbibliothek
The Deutsche Nationalbibliothek lists this publication in the Deutsche Nationalbibliografie; detailed bibliographic data are available in the internet at http://dnb.d-nb.de.

Umschlagvignetten:
Umschlagbild: Foto von Josef Schwind
Gegenüber Titelblatt: Innenbild einer Schale des Peithinosmalers, Berlin, Pergamonmuseum (CVA Berlin 2, Taf. 61).

Gesamtherstellung: Druck Partner Rübelmann GmbH, Carl-Benz-Str. 11, 69 502 Hemsbach

In Kommission bei Harrassowitz Verlag • Wiesbaden, www.harrassowitz-verlag.de

VERLAG FRANZ PHILIPP RUTZEN
D - 83324 Ruhpolding, Am Zellerberg 21
Tel. 08663/883386, Fax 08663/883389, e-mail: franz-rutzen@t-online.de

ISSN 1868-1476
ISBN 978-3-938646-41-0
ISBN 978-3-447-05941-1

INHALTSVERZEICHNIS

Der Photograph Josef Schwind

Λαός

Γιάννη Ρίτσου

Μικρός λαός και πολεμά
δίχως σπαθιά και βόλια,
για ολού του κόσμου το ψωμί,
το φως και το τραγούδι.

Κάτω απ' τη γλώσσα του κρατεί
τους βόγγους και τα ζήτω
κι αν κάνει πως τα τραγουδεί
ράγιζουν τα λιθάρια.

Volk

Jannis Ritsos

Kleines Volk
und kämpft ohne Schwert und Kugeln
für das Brot der ganzen Welt,
das Licht und das Lied.

Unter der Zunge hütet es
Seufzer und Jubelrufe
und wenn es anhebt,
davon zu singen,
bekommen die Steine Risse.

Das Gedicht „Laos“ von Jannis Ritsos mit Übersetzung von Helmut Schwäbl wurde zitiert nach: Mikis Theodorakis, Liederbuch, Gerhardt Verlag, Berlin 1983, S. 76f.

Vorbemerkung

Im Frühherbst 2006 wurde ich von der Volkshochschule Erlangen gefragt, ob ich bereit wäre, zu einer von Herrn Alfons Kitzinger vorbereiteten Photoausstellung mit griechischen Motiven, die ein Luftwaffenoffizier namens Josef Schwind gemacht hatte, in einem Vortrag den zeithistorischen Hintergrund zu liefern. Da ich seit Jahrzehnten auf diesem Gebiet wissenschaftlich arbeite, sagte ich gerne zu. Ich stellte mir typische Kriegsphotos vor, aber man sagte mir, daß der Krieg eigentlich kaum vorkomme. Nun wurde ich neugierig.

Als ich die Photos von Josef Schwind anläßlich der Ausstellungseröffnung am 18. November 2006 in der Volkshochschule in Erlangen zum ersten Mal sah, war ich fasziniert. Diese Photos hatten tatsächlich so gut wie nichts mit dem Krieg zu tun. Wären auf den Photos nicht gelegentlich deutsche Soldaten zu sehen gewesen, hätte man vermuten können, daß die Photos von einer Bildungsreise nach Griechenland aus der Zeit vor dem Krieg stammten.

Aber der Photograph interessierte sich nicht nur für die Überreste des klassischen Altertums, sondern er hielt mit seiner Kamera auch das tägliche Leben der Menschen, denen er begegnete, fest. Er dokumentierte eine Zeit, die lange vergangen ist. An viele Dinge, die man hier sieht, konnte ich mich aber noch aus meiner ersten Griechenlandreise Ende der 50er Jahre lebhaft erinnern. Auf den Photos sieht man untergegangene Berufe und ausgestorbene Handwerke. Sie zeigen Landschaften, die noch nicht zersiedelt waren. Einerseits bieten die Photos Stoff für reine Nostalgie, andererseits geben sie Einblicke in soziale und wirtschaftliche Mißstände der guten alten Zeit. Betrachtet man sie genauer, beginnen sie zu einem zu sprechen und erzählen, wie das Leben damals war. Für den Zeithistoriker sind sie exzellente Quellen mit hohem Informationsgehalt.

Als der offizielle Teil der Eröffnung vorüber war, unterhielt ich mich mit Herrn Kitzinger über die Photos. Wir freundeten uns rasch an, und ich sagte zu ihm, daß man diesen Schatz von Photos einem breiteren Publikum, insbesondere allen Freunden Griechenlands, zugänglich machen sollte. Es zeigte sich, daß er selbst schon längst über einen Bildband nachgedacht hatte. So wurde die Idee zu diesem Buch geboren. Ich freue mich, daß es jetzt gelungen ist, diese Idee zu verwirklichen.

Heinz A. Richter

Joseph Schwinds Photographie

Josef Schwind muß geradezu ein photographisches Naturtalent gewesen sein. Er hatte offensichtlich den richtigen Blick, erkannte lohnende Motive sofort und zückte seine Kleinbildkamera (auf einem der Bilder kann man sie erkennen). Deren hoher Qualität verdankte er eine gestochene Schärfe, die auch starke Vergrößerungen erlaubt. Schwind hatte, zumal wenn er mit dem Flugzeug unterwegs war, gar nicht die Zeit - wie mancher Berufsphotograph - vielfach das gleiche Motiv aufzunehmen, um wenige gute herauszusortieren. Schon die Aufnahmetechnik verrät seine künstlerischen Qualitäten, die ihm wohl weniger bewußt und wichtig waren. Vom Flugzeug aus nutzt er vor allem den fast waagerechten Anflug, etwa den Blick auf die malerischen weißen

Inselorte; nur einmal ist eine regelrechte Luftaufnahme zu sehen, diese Chance mag er nicht nutzen. Er liebt vielmehr weite Ausblicke, etwa von Akrokorinth aus, auf Hydra hinab, oder über andere Inseln hinweg; aber auch Tordurchblicke, so in Thessaloniki oder Akrokorinth; der Blick von den dunklen Kasematten von Tiryns ins Helle ist geradezu das Komplementärbild zum Blick vom Hellen ins Dunkel des 'Schatzhauses des Atreus' in Mykene. Schwind versteht mit Hell-Dunkel-Kontrasten zu arbeiten, bevorzugt meist aber prägnant ausgeleuchtete Motive. Oft nutzt er einfach kräftiges Sonnenlicht, um die Landschaftsaufnahmen wirkungsvoll zu modellieren. In verschiedener Ausleuchtung oder Schärfe setzt er Vorder- und Hintergrund gegeneinander, eine alte Mauer vor eine Mühle, Esel und Rind vor das Panorama von Skyros, verschattete Silhouetten vor einen strahlendhellen Ausblick. Das Spiel von Licht und Schatten kann - etwa im Widerstreit mit dem Reisig auf dem Eselsrücken - geradezu ein Suchbild aus der Aufnahme machen. Der Rapport der Bienenkörbe in Salamis wirkt ähnlich reizvoll.

Auch Themenvorliebe und Motivwahl macht den Künstler aus und wirft zugleich ein positives Licht auf seinen Charakter. Unwillkürlich kommt seine Tierliebe zum Ausdruck, ohne daß man ihn als Tierphotographen auffassen könnte. Mulis und Esel, als Transportmittel auf dem Land und im unwegsamen Gelände damals allgegenwärtig, kamen häufig ins Bild. Das Schildkrötenbild zeigt seinen Sinn für Humor. Selbst bei den Kalybien, den Sommerhütten, ist eines der Bilder den Hühnern gewidmet, die die Herrschaft übernommen haben. Vor allem wird immer wieder seine Kinderliebe deutlich; kleine Kinder sind, oft ganz unbefangen, in verschiedensten Aktionen begriffen. Mitten unter kindlichen Händlern auf dem Bahnsteig balanciert als verstecktes Hauptmotiv ein Junge selbstvergessen auf einem Gleis. Kinder sitzen in Gruppen, auf dem Esel, bei der Mutter auf dem Arm, und überhaupt immer wieder in Familien. Selbst fürs Photo aufgebaute Gruppen wirken nie steif, jeder einzelne ist lebendig und individuell beobachtet. Wir verdanken Schwind aufschlußreiche dokumentarische Bilder untergegangener Berufstätigkeiten - aber vermutlich hält er da eher alte Techniken fest, darunter solche, die ihm vom Beruf her von Interesse sind: Dreschtennen, Mühlwerke, Göpel-Pumpwerke auf dem Felde, Transportmethoden, etwa Weinschläuche auf dem Lkw, und überhaupt Fahrzeuge aller Art, von der als Notbehelf zusammengenagelten "karotza" bis zur Eisenbahn, vom Muli bis zum Wasserflugzeug.

Schwind muß die bergige Landschaft Griechenlands geliebt haben und den Zauber der Inseln mit den weißen Kuben der labyrinthisch wirkenden Inselorte im Kontrast zu ihrem Kontext von Felslandschaft und Meer. Die Auswahl der aufgenommenen Orte war natürlich abhängig von seiner militärischen Tätigkeit. Wie die Daten zeigen, kam er schnell und viel herum, an Orten wie Patras war er mehrfach, an manch interessanten gar nicht. Sehenswürdigkeiten, die sich anboten, nahm er natürlich auf, vom mykenischen Tholosgrab bis zur byzantischen Kirche, besonders liebte er offenbar die Regelmäßigkeit der kannelierten Tempelsäule oder des antiken Theaterrunds. Schon das Familiengrabmal in Regensburg verdeutlicht eine Affinität Schwinds zur klassischen Formensprache. Mehr als der wildromantische Blick hinauf zu byzantinischen Festungsmauern in Thessaloniki, Akrokorinth oder Mistra zeigt gerade die teilverschattete Aufnahme des Athena-Nike-Tempels von der Athener Akropolis einen Photographen von der Qualität eines Walther Hege.

Reinhard Stupperich

„Ich hätte von einem deutschen Soldaten solche Aufnahmen nicht erwartet“

Alfons Kitzinger

Es war wohl im Jahre 1975. Ich studierte deutsche und englische Philologie an der Universität Regensburg und lernte nebenher ein wenig Neugriechisch. Als Absolventen des humanistischen Gymnasiums war mir der Einstieg in diese Sprache nicht allzu schwer gefallen und seit einer Griechenlandtour, zu der ich im Sommer 1972 mit drei Kommilitonen in einem alten klapprigen Opel aufgebrochen war, fühlte ich mich als hochmotivierter Philhellene. Dies wurde sicher auch bei meinen Besuchen in der Landshuter Straße 48 wahrgenommen, wo meine Freundin und jetzige Frau mit ihren Eltern wohnte. Eines Tages sprach mich vor deren Haus eine ältere weißhaarige Dame an. Obwohl ich ihr nur kurz begegnete, glaube ich, mich an ihre aufrechte Gestalt und ihre gleichermaßen noble wie freundliche Art zu erinnern. Es war Frau Schwind, die Nachbarin meiner späteren Schwiegereltern. Sie habe von mir gehört, bemerkte sie. Ihr Mann sei gestorben. In seinem Nachlass befinde sich eine Sammlung von Dias und Fotos aus seiner Zeit als Weltkriegsoffizier in Griechenland. „Ich will die Bilder jemandem übergeben, der sie schätzt und sich für Griechenland interessiert“, erklärte die alte Dame. So erhielt ich zwei Holzkästchen mit Dias und einige Kuverts mit Papierabzügen. Von Anfang an war ich von den Bildern begeistert. Ich kaufte mir schließlich einen Diaprojektor, um sie alle betrachten zu können – was nicht ganz leicht war, da die alten Glasrahmen immer wieder die moderne Projektorautomatik blockierten. Schnell hatte ich meine Lieblingsmotive gefunden: das Inselmädchen, die junge Zigeunerin, den Getränkeverkäufer, die Spinnerinnen von Altkorinth. Ganz besonders aber gefiel mir die Holzsammlerin vom Imittos. Diese bitterarme, unter der schweren Last gebeugt gehende Frau schien mir wie ein Abbild der *Ftochomana Ellada* der Besatzungsjahre, der armen Mutter Griechenland. Was muss jener Fotograf für ein Mensch gewesen sein, der die Uniform der Besatzungsarmee trug, aber dennoch so viel Zutrauen erweckte, dass ihm die bettelarme, von der Not der Besatzung schier erdrückte Frau mit einem freien Lachen begegnete? Alles, was ich bis heute über den mir persönlich unbekannten Josef Schwind in Erfahrung bringen konnte, hat mich in der Vorstellung bestärkt, die ich damals von dem Fotografen dieses Bilds gewann.

Josef Schwind wurde am 21. August 1897 in Regensburg geboren, als Sohn des Gewürzmüllers Franz Xaver Schwind und seiner Ehefrau Elisabeth, geb. Friedel. Schwind senior war jemand, der „es mit den Leuten konnte“. Das gehörte zu seiner Berufsqualifikation, führte ihn doch der Gewürzhandel oft übers Land in die Dörfer des Gäubodens und des Bayerischen Waldes. Darüber hinaus aber galt Franz Schwind als Unikum mit viel Talent für Vereinswesen und Geselligkeit. In froher Runde gab er auch gerne einmal den Gstanzl- und Couplet-Sänger. Sein Sohn Josef scheint einiges von diesem Kommunikationstalent, das zwanglos Kultur-, Standes- und Sprachbarrieren überbrückt, geerbt zu haben. Dabei war Josef Schwind – so das einhellige Urteil derer, die ihn kannten - kein Mann der lauten Töne. Aus seinen Fotografien spricht vielmehr eine Haltung der Aufgeschlossenheit, der Offenheit für Neues und der menschenfreundlichen Bescheidenheit.

Nach fünfjährigem Volksschulbesuch tritt Josef Schwind 1908 in die „Königliche Kreis-Oberrealschule zu Regensburg" ein. 1912 wechselt er an die Kgl. Ludwigsrealschule Deggendorf, wo er sich im Januar 1915 der „Notreifeprüfung" unterzieht, die ihn zum Einjährig-Freiwilligendienst berechtigt. Das erhaltene Zeugnis belegt durchwegs gute bis sehr gute Leistungen. Ab dem 27. Januar 1915 dient der Kriegsfreiwillige Schwind bei einer Fuhrpark-Kolonne der bayerischen Armee auf dem französisch-belgischen Kriegsschauplatz.[1] Seine Einheit nimmt unter anderem an der Schlacht an der Somme, am Stellungskrieg in Flandern und an den Kämpfen bei Ypern teil. Im März 1917 wird Schwind zum Leutnant der Reserve befördert und vertritt im Sommer 1918 zeitweilig den Kolonnen-Kommandeur. Ab dem 1. Dezember 1918 fungiert Schwind als „Führer der Feldbäckerei" der Etappen-Fuhrpark-Kolonne 6. Noch ist für ihn der Krieg nicht zu Ende. Seit Anfang März 1919 ist Schwind beim 1. Garde-Reserve-Feldartillerie-Regiment zum „Nordostschutz" im Baltikum eingestellt, und zwar als Verpflegungsoffizier. Am 31. August 1919 wird Schwind „auf eigenen Wunsch nach Regensburg" entlassen, wo er in die väterliche Gewürzmühle eintritt. Später, als Fotograf in Griechenland, wird sich Schwind viel mit Motiven befassen, die mit dem Mühlen- und Transportwesen zu tun haben, mit Lasttieren, mit der Beschaffung von Grundnahrungsmitteln, dem Sammeln von Brennholz oder mit Szenen am Brunnen, und er wird auch die bittere Armut und die Not der Besatzungszeit dokumentieren.

1922 heiratet der heil aus dem Krieg Heimgekehrte die Regensburger Kaufmannstochter Martha Düncher. Das einzige Kind, ein Mädchen, wird am 16. September 1933 geboren. Nach zwei Tagen stirbt die Mutter im Kindbett. Das Töchterchen Martha wird nur vier Monate alt. Als Schwind 1935 seine zweite Frau heiratet, wissen beide, dass sie keine Kinder wird bekommen können. Es ist undenkbar, dass solche Schickschalsschläge einen sensiblen Menschen wie Josef Schwind nicht geprägt haben sollten. Wenn wir die zahlreichen Fotografien, die er in Griechenland von Kindern und Familien aufnahm, näher betrachten, so erscheinen sie in einem besonderen Licht.

---

1 Die Daten zu Schwinds Militärdienst im I. Weltkrieg entstammen der Personalakte OP 49591 im Bayer. Hauptstaatsarchiv, Abt. IV - Kriegsarchiv

Gewissenhaftigkeit, Zuverlässigkeit, Ordnung – Schwind hat diese traditionellen Kaufmannstugenden hochgehalten. Kameradschaft bedeutete ihm viel, und es mag sein, dass er sich von militärischer Ordnung durchaus angezogen fühlte. Doch er war kein Kommisskopf und ganz sicher nicht der Typ des „schneidigen" Scharfmachers. Eine typische Beurteilung vom 20. Juni 1940 in Schwinds militärischem Personalakt lautet:

„Hauptmann Schwind ist ein offener, zuverlässiger Charakter, körperlich frisch und leistungsfähig. Bescheiden im Auftreten Vorgesetzten gegenüber, ist er bestimmt und fest in seinen Anordnungen als Vorgesetzter. Als Leiter des Ausbildungskommandos hat er in der militärischen und fachtechnischen Weiterbildung der altgedienten Unteroffiziere und Mannschaften gute Erfolge gehabt, obwohl er in seinem Auftreten vor der Front [der Auszubildenden] *forscher sein könnte. Als fürsorglicher Vorgesetzter und hilfsbereiter Kamerad ist er sehr geschätzt."*

Und der Regimentskommandeur fügt hinzu:

„Stiller Offizier mit vornehmer Gesinnung. Könnte vor der Front mehr Härte zeigen."[2]

Wie hielt es Schwind mit der Politik? Es ist fraglich, ob ihn dieses Gebiet sehr beschäftigt hat. Vermutlich lässt sich seine Einstellung als deutschnational bezeichnen. Als Oberrealschüler, so ein Gewährsmann, sei er „einer der eifrigsten Anhänger der Jungdeutschlandbewegung" gewesen.[3] In einem Fragebogen von 1937 gibt Schwind Mitgliedschaften in der *Deutschnationalen Volkspartei* („bis etwa 1932 oder 1933") und im *Stahlhelm* („bis etwa 1933") an.[4] Ab 1937 bis 1945 ist Schwind Mitglied der NSDAP, was ihm eine Spruchkammer-Einstufung „in die Gruppe der Mitläufer" einträgt.

Der historisch informierte heutige Leser weiß um die Problematik deutschnationaler Gesinnung. Er wird aber auch die Zeitumstände kennen und wissen, dass Menschen mit dieser politischen Prägung in der NS-Zeit nicht grundsätzlich alle zu den Schlechtesten zählten.

Kann es sein, dass Schwind im Militär und in seinem Status als Reserveoffizier eine Möglichkeit sah, die Einschränkungen durch Stand und Beruf aufzubrechen?

---

2 Bundesarchiv – Militärarchiv, Freiburg i. Br., Personalakte LP 47089

3 Assistenzarzt Dr. Daisenberger am 18.2.1916 in: Personalakte OP 49591, a.a.O. Der am 13.11.1911 auf Anregung des Generalfeldmarschalls von der Goltz gegründete Jungdeutschlandbund umfasste 1914 als Dachorganisation diverser Jugendverbände ca. 20 % der deutschen Jugendlichen. Zur„Erstarkung der künftigen Volkskraft" forcierte er die vormilitärische Ausbildung. Vgl. *Lexikon der deutschen Geschichte*, Stuttgart 1983, S. 620f.

4 Personalakte LP 47089.

Ist es verwunderlich, dass es ihn zu einer Truppengattung hinzog, die schon im wörtlich-konkreten Sinn eine Horizonterweiterung versprach, nämlich zu den Fliegern? In einem Gesuch vom 15. Januar 1918 bittet der Leutnant der Reserve seinen Vorgesetzten, die „*Versetzung zur bayer. Fliegertruppe höheren Ortes erwirken zu wollen*" und fährt fort: „*Ich hege großes Interesse für das Flugwesen und bitte als Flugzeugführer ausgebildet zu werden.*" Daraus wird nichts. Der ärztliche Befund stellt lapidar fest: „*Wegen Rotgrünblindheit wird der Untersuchte für untauglich als Führer wie Beobachter erklärt.*"[6]

Schwind wird dennoch Luftwaffenoffizier, wenn auch kein Flugzeugführer. Ab 1933 ist er aktiv im Luftschutz und Flugmeldedienst, nimmt an Übungen und Lehrgängen teil. Am 25. August 1939 wird er zum Kriegsdienst einberufen. Vom 1. Februar 1942 an ist er im Flugmeldedienst in Griechenland eingesetzt und wird dort zum Major der Luftwaffe befördert.[6] Zunächst fungiert er als Kompaniechef bei der Luftnachrichtentruppe (Luftgaukommando Südost), ab dem 12.5.42 als Major beim Stabe und als stellvertretender Abteilungskommandeur. Eine „Kriegs-Beurteilung zum 1. April 1944" betont Schwinds „Kenntnisse und Erfahrungen im Flugmeldedienst" und seine zunehmende Vertrautheit mit dem „Funkmeßwesen". „[D]ie großen Anforderungen, die durch die laufende Verdichtung der Funkmeßgeräte im griechischen Raum an ihn gestellt wurden," habe Schwind „gut bewältigt und dabei Initiative und Improvisationsgabe gezeigt."[7] Schwind hatte vermutlich über ganz Griechenland verteilte Radar-, Melde- und Luftschutzanlagen zu betreuen, was die beträchtliche Anzahl seiner quasi flächendeckenden Reisen erklären würde.

Von 1942 bis 44 bereist Schwind jedenfalls einen Großteil Griechenlands. Dabei entstehen Hunderte von Fotos, offenbar durchwegs aus privatem Interesse. Über dreihundert sind erhalten. Wie viele insgesamt existierten, ob die erhaltenen nach bestimmten Kriterien ausgelesen wurden und gegebenenfalls von wem, ist nicht mehr feststellbar. Schwind fotografiert Land und Leute, Menschen und Tiere, aber auch viele der bekannten antiken Stätten. Man kann sich des Eindrucks nicht ganz erwehren, der Fotograf habe es als Luftwaffenoffizier in der Hand gehabt, die eine oder andere Reise mehr nach eigenen landeskundlichen Interessen als nach militärischen Erfordernissen auszurichten. Einen Teil der Reisen unternahm Schwind, wie auf einzelnen Bildern zu erkennen, mit Flugzeugen, die dank ihrer Schwimmkörper auf dem Meer wassern konnten. Bei der Bevölkerung vor Ort erregte die Landung einer solchen Maschine offenbar beträchtliches Aufsehen. 1944 zieht Schwind mit den deutschen Truppen aus Griechenland ab und gerät gegen Kriegsende in Gefangenschaft. Er kehrt nach Regensburg zurück und führt

---

5 Personalakte OP 4959.

6 Personalakte LP 47089.

7 Ebd.

seine Gewürzmühle weiter, bis zum Ende seines aktiven Berufslebens. Griechenland hat er nicht wieder gesehen.

Was aber wurde aus den mir nach Schwinds Tod übergebenen Bildern?

Erst gut zwanzig Jahre später ergab sich eine Gelegenheit, meinen Schatz aus dem Verborgenen zu holen. Ich war mittlerweile Gymnasiallehrer in Bogen geworden, einer Kleinstadt an der niederbayerischen Donau, und hatte, wiederum über vielerlei Zufälle, Kontakte zum 1. Lappeio Gymnasio im nordgriechischen Naoussa geknüpft. Schließlich führten wir gemeinsam ein EU-finanziertes COMENIUS-Schulkooperationsprojekt durch mit dem Titel „Unser kulturelles Erbe". Jede beteiligte Schule sollte eine Ausstellung konzipieren. Aber mit welchem Material? Vielleicht wäre das eine Gelegenheit, um Schwinds Fotos einem breiteren Publikum vorzustellen? Aber wie würden die Griechen auf diese Art von „kulturellem Erbe" reagieren? Sie taten es von Anfang an mit Enthusiasmus. Die mit einfachen Mitteln in Naoussa präsentierte Ausstellung mit vierundvierzig der Schwindschen Fotos konnte dank des unermüdlichen Einsatzes meines Freundes und Kollegen Spyros Siungaris sowohl am 1. Lappeio Gymnasio wie auch im städtischen Kulturzentrum gezeigt werden. *„Ich hätte von einem deutschen Soldaten solche Aufnahmen nicht erwartet,"* lautete ein typischer Eintrag im Besucherbuch.

Kühn geworden durch diese sehr ermutigende Reaktion begannen wir nach einer Veröffentlichungsmöglichkeit in Buchform zu suchen. Spyros setzte alle Hebel in Bewegung – aber zunächst vergeblich. Durch Vermittlung von Frau Erika Kounio-Amariglio, einer deutschsprechenden Jüdin aus Thessaloniki und Überlebenden des KZ Auschwitz, entstand ein Kontakt zum „Zentrum für Fotografie" in Thessaloniki (Fotografiko Kentro Thessalonikis) des Herrn Vasilis Karkatselis, der dort einen Teil der Schwindschen Bilder zeigte. Dann aber kehrten sie nach Bogen zurück.

Im April 2005 traf dort ein Fax aus Naoussa ein, unterzeichnet von Spyros. Er habe einen Publizisten kennen gelernt, der sich für die Fotos interessiere. Derselbe, nämlich Makis Exarchopoulos, meldete sich auch prompt. Er erwies sich als liebenswerter Enthusiast, der nicht mehr locker ließ, bis er die Bilder in Händen hatte, um sie kenntnisreich, einfühlsam und mit akribischer Geduld genauestens zu untersuchen. Makis konnte bei einem Großteil der Bilder die örtlichen und zeitlichen Bezüge erhellen. Für unsere Pläne, die Bilder als Fotoband zu publizieren, fehlten allerdings Sponsoren. Mittlerweile fanden vierunddreißig großformatige Abzüge von Schwinds Bildern den Weg nach München. Pater Apostolos Malamoussis und Costas Gianacacos ist es zu verdanken, dass sie dort anlässlich des zweiten Griechisch-Bayerischen Kulturtages im Griechischen Haus ausgestellt werden konnten. In der Zwischenzeit war es gelungen, Kontakte zu Verwandten

Josef Schwinds herzustellen, zu Frau Rose Karrer-Bäuerle und ihrem Mann und zu Frau Gabriele Langmack und Tochter. Sie gaben mir nicht nur wertvolle Auskünfte zu Schwinds Persönlichkeit und Werdegang, auf denen die vorliegende Darstellung großenteils fußt, sondern stellten mir auch weitere Fotos zu und von Josef Schwind zur Verfügung. Darunter befanden sich einige, die sich in die Sammlung der Griechenlandbilder einfügten. Ich bin diesen liebenswürdigen Personen zu großem Dank verpflichtet. Herzlicher Dank gebührt auch dem Griechisch-deutschen Verein Regensburg, der unserem Projekt mit spontaner Sympathie aber auch finanziell kraftvoll unter die Arme griff. Die in München gezeigte Bilderauswahl wanderte schließlich weiter nach Erlangen. Dank der Hilfsbereitschaft und Rührigkeit meines alten Freundes Theodoros Radisoglou und der Aufgeschlossenheit von Frau Christine Flemming, Leiterin der Volkshochschule der Stadt Erlangen, konnten sie im Winter 2006/07 in deren Räumen gezeigt werden. Volkshochschule und Griechische Gemeinde Erlangen gestalteten einen überaus eindrucksvollen Eröffnungsabend mit einem Vortrag von Professor Heinz Richter über „Griechenland zwischen Revolution und Konterrevolution (1936-1946)“. Professor Richter zeigte sich nicht nur als höchst informativer und packender Referent, sondern als jemand, der es gewohnt ist, Nägel mit Köpfen zu machen. Auf die Bildbandpläne angesprochen erklärte er: „Wir machen das Buch.“ Und auf das Wort folgte die Tat.

Der zeithistorische Hintergrund für die Fotos: Griechenland im Zweiten Weltkrieg

Heinz A. Richter

Um die Ereignisse der Jahre 1941 bis 1944 verstehen zu können, ist es notwendig, einen Blick auf die Entwicklung der Jahre vor dem Ausbruch des Zweiten Weltkrieges zu werfen.[1] Im Gefolge der Weltwirtschaftskrise war - wie in vielen Ländern Europas - auch in Griechenland die Demokratie abgeschafft worden. Angesichts einer parlamentarischen Pattsituation nach den Wahlen vom Januar 1936 hatte am 4. August 1936 der ehemalige General und jetzige Politiker, Ioannis Metaxas,[2] mit Billigung König Georgs II. die Diktatur errichtet. Dies war ein glatter Verfassungsbruch durch den König, den ihm sein Volk nie verzieh. Die griechische Diktatur unterschied sich von allen anderen Diktaturen jener Zeit dadurch, daß sie eine Ko-Diktatur, eine Art Duumvirat war. Die griechische KP (KKE) erkannte dies ganz klar und sprach von da an vom "Monarchofaschismus".

Nach außen hin erschien Metaxas als der Stärkere. Doch tatsächlich war der König, der sich auf die ihm treu ergebene Armee stützte, der Überlegene. Wenn er gewollt hätte, hätte er mit deren Hilfe Metaxas jederzeit stürzen können. Dadurch unterschied sich die griechische Diktatur von der italienischen grundsätzlich. Außerdem hatte Georg II. Großbritannien auf seiner Seite; seit Georg I. waren die griechischen Monarchen Könige von Großbritanniens Gnaden. Metaxas hingegen war seit seinen Studien an der preußischen Kriegsschule germanophil. In den 20er Jahren hatte er sich mit dem italienischen und deutschen Faschismus angefreundet und nun versuchte er, seine Vorbilder zu kopieren, und der König ließ ihn gewähren.

Metaxas war der *Archigos* (der Führer), der wie in Deutschland oder Italien mit erhobenem rechten Arm begrüßt wurde; sein Régime bezeichnete sich als *Tritos Ellinikos Politismos*, was als "Drittes griechisches Reich" übersetzt werden kann. Die Pendants zu Hitlerjugend und Reichsarbeitsdienst waren die *EON* und die *Tagmata Ergasias* (die Arbeitsbataillone). Die bekannte Gleichschaltung und eine omnipräsente Geheimpolizei waren weitere Herrschaftsmittel des Régimes. Aus Metaxas' Tagebuch geht hervor, daß er sich vollständig mit den ideologischen Konzepten des Faschismus identifizierte und sich als Vertreter der reinen Lehre fühlte. Sein Régime erfüllt in der Tat alle Kriterien der unterschiedlichen Schulen

---

1 Zur Vorgeschichte: Heinz A. Richter, *Griechenland im 20. Jahrhundert Band 1: Megali Idea - Republik - Diktatur* (Köln: Romiosini, 1990).

2 Joachim. G. Joachim, *Ioannis Metaxas. The Formative Years 1871-1922* (Mannheim, Möhnesee: Bibliopolis, 2000); P. J. Vatikiotis, *Popular Autocracy in Greece 1936-41. A Political Biography of General Ioannis Metaxas* (London: Frank Cass, 1998).

der Faschismusinterpretation (Nolte, Kühnl, Wippermann)[3] mit einer einzigen Ausnahme: es fehlte eine faschistische Massenpartei.

Dies verleitete in der Vergangenheit viele Historiker dazu, dem Régime den faschistischen Charakter abzusprechen, es als Königsdiktatur zu interpretieren[4] oder als totalitäres System zu charakterisieren.[5] Doch eine solche Interpretation projiziert westeuropäische Vorstellungen auf Griechenland und übersieht die Tatsache, daß es dort eine andere politische Kultur gab.[6] Basis dieses Systems war der Klientelismus; griechische Parteien waren seit der Erlangung der Unabhängigkeit 1830 immer Klientelverbände gewesen. Die Schaffung einer faschistischen Massenpartei nach deutschem Vorbild wäre systemfremd gewesen, statt dessen beraubte Metaxas die vorhandenden Klientelparteien ihrer Führer und richtete die Netzwerke auf sich selbst aus. So konnte er mit Fug und Recht in seinem Tagebuch behaupten, daß das ganze Volk Partei gewesen sei.[7] Für linksgerichtete Historiker hingegen bestand nie ein Zweifel, daß das Regime vom 4. August einen faschistischen Charakter gehabt hatte.[8]

Die Zerschlagung der alten Klientelnetze hatte eine ungewollte Nachwirkung. Sie legte das Fundament für den Volkswiderstand unter der Okkupation. Denn als Griechenland besetzt wurde und das Régime zerbrach, zerfiel das auf Metaxas ausgerichtete Netz in seine Bestandteile. Diese führerlosen Sub-Netze konnten nun zu großen Teilen von der beginnenden Résistance in ihr neues Netz integriert werden.

Zwar imitierte das Régime vom 4. August seine Vorbilder bei Paraden und Aufmärschen, aber es war klar, daß es die Arme-Leute-Version des Faschismus war.[9] Aber im Gegensatz zu seinen Vorbildern erwies sich das Régime, zumindest

---

3 Ernst Nolte, *Die faschistischen Bewegungen* (München: DTV, 1966); Reinhard Kühnl, *Formen bürgerlicher Herrschaft. Liberalismus - Faschismus* (Reinbek: Rohwolt, 1971); Wolfgang Wippermann, *Faschismustheorien. Zum Stand der gegenwärtigen Diskussion* [5](Darmstadt: WB, 1989), ders., *Europäischer Faschismus im Vergleich 1922-1982* (Frankfurt: Suhrkamp, 1983). Zwar vertrat das Régime auch rassistische Vorstellungen, aber einen Antisemitismus deutscher Prägung gab es nicht.

4 C. M. Woodhouse, *Apple of Discord. a Survey of Recent Greek Politics in their International Setting* (London: Hutchinson, 1948).

5 Jon V. Kofas, *Authoritarianism in Greece: The Metaxas Regime* (New York: Columbia UP, 1983); John S. Koliopoulos, *Greece and the British Connection* (Oxford: Clarendon Press, 1977).

6 Heinz A. Richter, "Zwischen Tradition und Moderne: Die politische Kultur Griechenlands", in: Peter Reichel, (ed.), *Politische Kultur in Westeuropa, Bürger und Staaten in der Europäischen Gemeinschaft* (Bonn: Bundeszentrale für politische Bildung, 1984), S. 145-66.

7 Am 2. Januar 1941 notierte Metaxas in sein "Heft der Gedanken" (*Tetradio ton Skepseon*): *"Griechenland erhielt am 4. August eine antikommunistische Herrschaft, eine antiparlamentarische Herrschaft, eine totalitäre Herrschaft, eine Herrschaft auf der Basis der Bauern und Arbeiter und folglich eine antiplutokratische Herrschaft. Sicher hatte es keine besondere Herrschaftspartei. Aber das ganze Volk war die Partei, außer den unverbesserlichen Kommunisten und den reaktionären Anhängern der 'Alten Parteien'."* Ioannis Metaxas, *Imerologio*, IV, (Athen: Ikaros, 1960), p. 553. Dies ist eine geradezu klassische Definition des Faschismus.

8 Spyros Linardatos, I Tetarti Avgoustou (Athen: Themelio, 1966).

9 Heinz Richter, "Aspekte der griechischen Zeitgeschichte" *Aus Politik und Zeitgeschichte* 14/15 (1. April 1988), p. 27.

was seine Gesetzgebung betraf, als erheblich langlebiger: viele seiner Gesetze galten bis in die 70er Jahre.[10]

Außenpolitisch steuerte das Régime einen opportunistischen Schaukelkurs.[11] Georg II. vertrat einen Kurs der Rückversicherung bei Großbritannien, und Metaxas setzte auf ideologische Freundschaft zu Berlin und Rom und träumte von internationaler faschistischer Solidarität. Entsprechend bitter war seine Enttäuschung, als das faschistische Italien am 28. Oktober 1940 über das faschistische Griechenland herfiel. In seinem Tagebuch bezeichnete er Mussolini und Hitler als Verräter an der Ideologie, er selbst hielt bis zu seinem Tod im Januar 1941 an der reinen Lehre fest.[12]

Mussolinis Überfall auf Griechenland war das Ergebnis eines langen Frustrationsprozesses, bei dem der Duce ständig deutsche militärische Erfolge beobachtete und gleichzeitig feststellen mußte, daß die eigenen Streitkräfte nicht reüssierten. Mussolini war kurz vor dem Zusammenbruch Frankreichs am 10. Juni 1940 in den Krieg eingetreten, aber seine Truppen hatten bei ihrem Angriff in den französischen See-Alpen keine gute Figur gemacht. Auch bei ihrem Angriff auf Ägypten kamen die Italiener nicht voran, und in Ostafrika entwickelte sich die militärische Lage auf eine Niederlage hin. Die italienischen Flieger konnten bei der Luftschlacht um England nur geringe Erfolge verzeichnen, und die italienischen U-Boote erwiesen sich als wenig tauglich für den Atlantik. Der Tropfen, der das Faß zum Überlaufen brachte, war Anfang Oktober 1940 die Nachricht, daß die Deutschen Lehrtruppen nach Rumänien, also in die italienische Interessensphäre, entsenden würden. Mussolini explodierte: *"Hitler stellt mich immer vor vollendete Tatsachen. Diesmal werde ich ihm in der gleichen Münze heimzahlen: er wird aus den Zeitungen erfahren, daß ich in Griechenland einmarschiert bin."*[13] Der Überfall geschah zwar mit Wissen, aber ohne die Zustimmung Hitlers,[14] der den Balkan ruhig halten wollte, weil er britische Angriffe auf das für die deutsche Kriegsführung entscheidend wichtige rumänische Öl von Ploeşti befürchtete. Außerdem erinnerte er sich an die Konsequenzen der Salonikifront im Ersten Weltkrieg.

---

10 Das Antievangelisationsgesetz aus dem Jahr 1938 hatte sogar noch 2001 Gültigkeit. *Athener Zeitung* 350 (12. Januar 2001), p. 18.

11 Zur Außenpolitik des Regimes: Dimitrios Kitsikis, *I Ellas tis tetartis Avgoustou kai ai megalai dynameis* (Athen. Ikaros, 1974); Spyros Linardatos, *I exoteriki politiki tis 4is Avgoustou* (Athen: Dialogos, 1975), ders., *O Ioannis Metaxas kai oi megales dynameis 1936-1940* (Athen: Proskinio, 1993).

12 Heinz A. Richter, *Griechenland im Zweiten Weltkrieg August 1939 - Juni 1941* (Bodenheim: Syndikat, 1997), p. 159; Metaxas, *op. cit.*, p. 554.

13 Galeazzo Ciano, *Tagebücher 1939-1943* (Bern: Alfred Scherz, 1947), p. 278.

14 *Akten zur Deutschen Auswärtigen Politik*, XI, 1, *Die Kriegsjahre 1. Septmber 1939 bis 13. November 1940* (Bonn: Hermes, 1964), p. 274ff; Hans-Adolf Jacobsen (ed.), Kriegstagebuch des Oberkommandos der Wehrmacht, I, (Frankfurt: Bernhard & Graefe, 1965), p. 123; Richter, *Griechenland im Zweiten Weltkrieg*, p. 80ff.

Die Stimmung in der Athener politischen und militärischen Führung war beim Beginn des Angriffs zutiefst defätistisch. Schließlich war Italien eine Großmacht und würde Griechenland wohl überrennen. Tatsächlich waren aber die Kontrahenten auf dem epirotisch/albanischen Kriegsschauplatz gleich stark. Was dann geschah, grenzte an ein Wunder. Wir zitieren die Worte des späteren Kommandeurs der britischen Militärmission bei den griechischen Partisanen, Brigadier Myers: *"In the Albanian Campaign it was the people of Greece who fought and did so splendidly against the enemy inspite of the regular army. The regular army was shamed into fighting by the will of the people. the people advanced inspite of the senior regular army officers who ... were not only unwilling to fight and incompetent but had not the spirit to lead the Greek Army against the invader."*[15] Zum griechischen Erfolg trugen die unterschiedlichsten Elemente bei. Mussolinis Angriff verletzte das griechische *Filotimo* (Ehrgefühl) und die Vaterlandsliebe. Angesichts der äußeren Bedrohung kam es zu einem de facto innenpolitischen Burgfrieden mit der Diktatur. Die Bekämpfung des äußeren Faschismus hatte Priorität, zugleich kämpfte man für die Erlösung der griechischen Irredenta in Albanien. Der Krieg wurde zum Volkskrieg, zu einer echten Levée en masse, an dem sich alle Teile des Volkes beteiligten.[16] Ohne die Transportleistungen der legendären *Gynaika tou Pindou* (Frau aus dem Pindos) hätte die griechische Armee nie ihre Erfolge erzielt.[17]

Die Kämpfe in Epirus und in Albanien gingen in die griechische Geschichte unter der Bezeichnung *To Epos tou Saranda* (das Epos von 1940) ein. In der Tat verdient dieser Kampf unsere höchste Bewunderung. Genau wie ein Jahr zuvor Finnland zeigten nun die Griechen der Welt, daß auch kleine Nationen sich gegen totalitäre Aggressoren erfolgreich wehren konnten. Doch die griechischen Siege über Mussolini ließen ein Dilemma entstehen, das in der Konsequenz Griechenland in die größten Tragödien seiner Geschichte stürzte.

Metaxas war klar, daß Hitler einen griechischen Sieg über Mussolini nicht zulassen konnte, u. a. weil er ein Eindringen der Briten nach Griechenland befürchtete und eine Niederlage seines Achsenpartners aus Prestigegründen nicht hinnehmen konnte; ein stärkeres Eingreifen der Briten hätte also nur den baldigen deutschen Angriff provoziert. Aus Hitlers Sicht hätte ein Festsetzen der Briten in Griechenland eine massive Bedrohung des Öl von Ploeşti und zweitens eine ungedeckte Flanke im bevorstehenden Rußlandfeldzug bedeutet. Metaxas zog die

---

15 Aus dem vertraulichen Bericht von Briagdier Myers aus dem Jahr 1943 "Inside Greece - A Report"; eine Kopie dieses Berichts befindet sich im Besitz des Verfassers.

16 Leland Stowe, *A Lesson from the Greeks* (London, 1942), p. 21; Field-Marshal Wilson of Libya, *Eight Years Overseas 1939-1947*(London: Hutchinson, 1949), p. 75; Compton Mackenzie, *The Wind of Freedom* (London: Cassell, 1944), passim.

17 Die Leistung der zähen Bauernfrauen übertraf dabei bei weitem die der Esel und Maultiere.

logischen Konsequenzen: Er verlangsamte den griechischen Vormarsch und lehnte britische Hilfe ab.[18]

In London hatte Churchill die griechischen Erfolge mit Genugtuung beobachtet, und Anfang Januar 1941 bot er Athen erneut britische Hilfe an. Metaxas erkannte sofort, daß die angebotene britische Hilfe völlig inadäquat war, denn sie bestand nur aus zwei Divisionen und einer Panzerbrigade.[19] Da die Annahme dieser Hilfe nur den deutschen Angriff beschleunigt hätte, lehnte Metaxas sie. Ob Metaxas einen Ausweg aus diesem ersten Dilemma gefunden hätte, muß Spekulation bleiben, da er Ende Januar 1941 starb. Hatten bislang die Griechen die Entwicklung selbst kontrolliert, so entglitt sie ihnen nun. Griechenland wurde zum Objekt der großen, internationalen Politik.

Ende 1940 mußte Churchill Präsident Roosevelt informieren, daß Großbritannien in kurzer Zeit keine Devisenvorräte mehr besitzen würde, womit das *Cash-and-Carry*-Programm enden würde.[20] Roosevelt konzipierte daraufhin das *Lend-lease*-Programm, das aber durch den neutralistisch gestimmten US-Kongress genehmigt werden mußte. Die heiße Phase der parlamentarischen Auseinandersetzung waren der Februar und März 1941. Sollte in dieser Zeit ein weiteres Land in Europa, das 1939 von der Briten Garantieerklärungen erhalten hatte, von Hitler überrannt werden, ohne daß die Briten intervenierten, wäre eine Ablehnung der Gesetzesvorlage fast sicher gewesen.[21] Da voraussichtlich Griechenland das nächste Opfer Hitlers war, beschloß Churchill auf amerikanischen Druck hin, dort zu intervenieren,[22] wobei er allerdings hoffte, daß die Intervention nicht tatsächlich durchgeführt werden müßte, weil die Deutschen zuvor Griechenland überrennen würden. Es ging also keinesfalls um eine echte Hilfe für Griechenland, sondern um den Effekt dieser Hilfe auf die öffentliche Meinung der USA.

Der neue britische Außenminister Eden erhielt den Auftrag, den Griechen diese Hilfe aufzudrängen. Der neue griechische Premierminister Korizis, ein ehemaliger Bankier, erkannte genau, daß die britische Hilfe immer noch völlig unzureichend war - in der Tat wurde das Angebot von Januar wiederholt und sogar etwas verfälscht - aber Georg II., der die Gunst der Briten nicht verscherzen wollte, erzwang die Annahme.[23]

Die ungewöhnlich lange Dauer des Winters brachte jedoch Churchills Timing durcheinander. Das *Lend-Lease*-Programm passierte Anfang März den Kongreß.

---

18 Richter, *Griechenland im Zweiten Weltkrieg*, pp. 155ff.

19 *Ibidem*, p. 182.

20 Winston Churchill, *The Second World War*, IV, *The Commonwealth Alone* (London: Cassell, 1964), p. 221.

21 Hellmuth G. Dahms, *Roosevelt und der Krieg. Die Vorgeschichte von Pearl Harbour* (München: Oldenbourg, 1958), p. 62; Martin Gilbert, *Winston Churchill*, VI, *Finest Hour 1939-1941* (London: Heinemann, 1983), p. 985; Richter, *Griechenland im Zweiten Weltkrieg*, p. 174ff.

22 Robert L. Sherwood (ed.), *The White House Papers of Harry L. Hopkins*, I, (London, 1948), p. 239f; David Dilks (ed.), The Diaries of Sir Alexander Cadogan O.M. 1938-1945 (London: Cassell, 1971), p. 356f.

23 Zu Edens Mission Richter, *Griechenland im Zweiten Weltkrieg*, pp. 217-243.

Da die Deutschen aber erst Anfang April angreifen konnten, mußte die britische Hilfe tatsächlich nach Griechenland transportiert werden. Dazu wurde die äußerst erfolgreiche britische Offensive auf Tripolis gestoppt und die ersten Truppen nach Griechenland geschafft. Dem britischen Stab in Nahost war klar, daß mit den vorhandenen Kräften die Deutschen nicht aufzuhalten sein würden und er arbeitete daher, noch bevor die ersten Truppen nach Griechenland abgingen, die Evakuierungspläne aus; der Verlust des gesamten Materials wurde in Kauf genommen.[24]

Der Anfang April beginnende deutsche Angriff war der letzte "Blitzkrieg" der Wehrmacht. Der britisch-inspirierte Putsch in Jugoslawien verkürzte den Angriff sogar noch, da die griechischen Verteidigungsstellungen über jugoslawisches Gebiet umgangen werden konnten. In drei Wochen wurde Griechenland erobert.[25] Die griechische Armee verteidigte sich so tapfer, daß Hitler nach der Kapitulation in Anerkennung ihrer militärischen Leistung die gesamte Armee nach Hause entließ; Offiziere durften sogar ihre Seitenwaffen behalten. Die Forderung Mussolinis, die griechische Armee müsse auch vor den Italienern offiziell kapitulieren, verärgerte sogar die deutschen Offiziere, die sich mit den Griechen sympathisierend der unwürdigen Szene entzogen.[26] Zwischen Deutschen und Griechen gab es zu diesem Zeitpunkt keinerlei Ressentiments.[27] Der deutsche Militärattaché an der Botschaft in Athen, Clemm von Hohenberg, informierte Berlin, daß Griechenland mit einer sehr kleinen Zahl deutscher Truppen gehalten werden könne, vorausgesetzt man lasse die Italiener nicht ins Land.[28]

Doch genau das geschah. Hitler glaubte für den Angriff auf Russland jeden Mann zu brauchen und überließ die Besetzung Griechenlands den Italienern und Bulgaren. Deutschland behielt lediglich Thessaloniki, einen kleinen Teil von Attika, das Grenzgebiet zur Türkei und Kreta. Den von den Griechen geschlagenen Italienern den größten Teil des Landes zu überlassen, war ein schwerer psychologischer Mißgriff, der Widerstand gerade provozieren mußte. Vergeblich wies der Sondergesandte Altenburg daraufhin, daß der Einmarsch der Italiener eine politische Niederlage für Deutschland bedeute.[29] Noch schlimmer wirkte sich die

---

24 Robin Higham, *Diary of a Disaster. British Aid to Greece 1940-1941* (Lexington: The University Press of Kentucky, 1986), p. 166.

25 Zum deutschen Griechenlandfeldzug Heinz Richter, *Griechenland im Zweiten Weltkrieg*, pp. 330-438.

26 Hans-Adolf Jacobsen (ed.), *Generaloberst Halder Kriegstagebuch*, II, (Stuttgart: Kohlhammer, 1963), p. 474f.; Ehrengard Schramm von Thadden, *Griechenland und die Großmächte im Zweiten Weltkrieg* (Wiesbaden: Steiner, 1955), p. 197; Geniko Epiteleio Sratou, *To Telos mias epopoiias Aprilios 1941* (Athen: Ekd. Diefthinsis Istorias Stratou, 1959), p. 227; Mussolini stellte verärgert fest, die Deutschen hätten sich zu Protektoren der Griechen aufgeschwungen. Ciano, *Tagebücher* Eintragung am 26. April 1941.

27 Hagen Fleischer, "Deutsche 'Ordnung' in Griechenland 1941-1944", in: Loukia Droulia und Hagen Fleischer (eds.), *Von Lidice bis Kalavrita Widerstand und Besatzungsterror Studien zur Repressalienpraxis im Zweiten Weltkrieg* (Berlin: Metropol, 1999), p. 154.

28 Mark Mazower, "Greece and the New Europe 1941-1944", in: Philipp Carabott (ed.), *Greece and Europe in the Modern Period* (London: King's College, 1995). p. 85.

29 Mark Mazower, *Inside Hitler's Greece. The Experience of Occupation 1941-44* (New Haven: Yale University

Besetzung Westthrakiens und Ostmakedoniens durch die Bulgaren aus, denn diese machten sich sofort daran, das Gebiet für die Annexion vorzubereiten. Die kurzsichtige deutsche Besatzungspolitik schadete dem deutschen Ansehen, schwächte die Position der Kollaborationsregierung und provozierte schon Ende Mai den ersten noch symbolischen Widerstandsakt, als zwei Studenten (Manolis Glezos und Apostolos Santas) die deutsche Kriegsflagge auf der Akropolis einholten und sie verbargen.

In den folgenden drei Jahren bis zum Oktober 1944 erlebte Griechenland das Schicksal aller besetzten Länder Europas.[30] Es gab kollaborierende Regierungen, die immer mehr zu Werkzeugen der Besatzer wurden. Es entfaltete sich eine breite Widerstandsbewegung, die allerdings in verschiedene politische Richtungen gespalten war. Diese Résistancegruppen bekämpften anfangs die Besatzer, zerstritten sich dann aber derart, daß von bürgerkriegsähnlichen Zuständen gesprochen werden darf. Ferner gab es eine Exilregierung unter Georg II. in Kairo bzw. London, die sich langsam der Realität im besetzten Griechenland entfremdete, aber in Churchill einen übermächtigen Verbündeten besaß. Das griechische Drama jener Jahre spielte sich also auf drei Bühnen ab, nur gelegentlich kam es zu Interaktionen. Im Rahmen dieser Ausführungen ist es nicht möglich, auch nur skizzenhaft die einzelnen Handlungsstränge darzustellen, statt dessen will ich versuchen, die für die Entwicklung entscheidenden Punkte herauszuarbeiten.

War die Kapitulation der griechischen Armee noch von militärischen Courtoisien begleitet gewesen, so folgten der Eroberung Kretas zum ersten Mal brutale Repressionsmaßnahmen. An der Verteidigung der Insel hatten sich traditionsgemäß auch Zivilisten beteiligt, und eine größere Zahl von Fallschirmjägern war durch sie umgekommen.[31] Luftwaffenchef Göring tobte und befahl rabiate Vergeltungsmaßnahmen an der Zivilbevölkerung. Diese wurden in der Folge durchgeführt, und zahlreiche Kreter wurden wegen Verletzung der Haager Landkriegsordnung erschossen. Das trieb viele andere in die Berge, wo sie als Andarten (Partisanen) den bewaffneten Widerstandstandskampf begannen. Dies wiederum hatte Signalwirkung auf Festlandsgriechenland, wo die Untergrundpresse bald das Verhalten der Kreter als Vorbild propagierte. Widerstand und Repression gehörten von da an zum Besatzungsalltag.[32]

Press, 1993), pp. 19-20.

30 Hagen Fleischer, *Im Kreuzschatten der Mächte. Griechenland 1941-1944* (Frankfurt: Lang, 1986); Heinz Richter, *Griechenland zwischen Revolution und Konterrevolution 1936-1946* (Frankfurt: EVA, 1973).

31 Fleischer., *Deutsche Ordnung, p. 155.*

32 Ders., "Griechenland - Der Krieg geht weiter", in: Ulrich Herbert u. Axel Schildt (eds.), *Kriegsende in Europa. Vom Beginn des deutschen Machtzerfalls bis zur Stabilisierung der Nachkriegsordnung 1944-1948* [2](Essen: Klartext, 1999), pp. 169.

Das erste wichtige Ereignis im besetzten Griechenland war die Hungersnot vom Winter 1941/42. Sie wurde durch mehrere Faktoren ausgelöst: 1. Die Ernte des Sommers 1941 war kriegsbedingt eine Mißernte. 2. Die Abtrennung der fruchtbaren Gebiete Westthrakiens und Ostmakedoniens verringerten das zur Verfügung stehende Getreide massiv: Anstelle der erwarteten 1.2 Mio Tonnen wurden nur 560.000 eingefahren[33]. 3. Im Augenblick der Besetzung Griechenlands durch die Achsenmächte schnitt London das Land von jeglicher Lebensmittelzufuhr von außen ab. Da Griechenland immer Getreide hatte importieren müssen, bedeutete die britische Blockadepolitik eine katastrophale Hungersnot, wenn nicht die Besatzer die fehlenden Mengen zur Verfügung stellten. Die britische Regierung stellte sich auf den Standpunkt, daß die Besatzer gemäß der Haager Landkriegsordnung verpflichtet seien, die Bevölkerung der besetzten Gebiete mit Lebensmittel zu versorgen. Die Achsenmächte konterten, indem sie die Blockade als völkerrechtswidrig verdammten. In London hoffte der Minister für Wirtschaftskriegsführung Dalton, daß durch den Hunger in den besetzten Ländern Seuchen und Aufruhr ausbrechen und die Achsenmächte in Schwierigkeiten geraten würden; die Hungertoten nahm man in Kauf.[34] Aber nicht nur die Briten steuerten diesen harten Kurs, es gab auch Kräfte in der griechischen Exilregierung, die der Meinung waren, daß der Hunger die Griechen zur Rebellion treiben werde.[35]

Auf deutscher Seite gab es zwei Positionen. Von Athen aus warnte der Sondergesandte Altenburg vor der bevorstehenden Hungersnot und forderte Berlin auf, Maßnahmen zu ergreifen. Ribbentrop und das Auswärtige Amt waren jedoch der Meinung, daß für Griechenland die Italiener zuständig seien. Diese wiederum waren nicht willens oder unfähig, ihren Verpflichtungen nachzukommen.

Die bulgarische Besetzung des Nordostens und die ersten Anzeichen für Nahrungsmittelknappheit führten zu einer Landflucht in Richtung Athen, was die Probleme dort noch verschärfte,[36] denn viele der kleinasiatischen Flüchtlinge von 1922 hausten noch dort unter unsäglichen Bedingungen. Das Ergebnis war ein Massensterben im Winter.

Über die Zahl der Hungertoten gibt es die wildesten Spekulationen. Bis in jüngste Zeit wird auch in seriösen Publikationen die Zahl 300.000 genannt, wobei allerdings nicht ganz klar ist, ob sich diese Zahl auf diesen Winter oder die ganze Besatzungszeit bezieht.[37] Übertreibungen schaden der Wahrheit, denn die Wahr

33 Fleischer, *Kreuzschatten*, p. 122.

34 W. Medlicott, *The Economic Blockade*, II (London: HMSO, 1959), p. 254.

35 Fleischer, *Kreuschatten*, p. 121.

36 Mazower, *Greece and the New Europe*, p. 86. Nach seinen Angaben sollen über 100.000 Menschen geflohen sein.

37 In einer Propagandasendung der BBC wurde im April 1942 sogar die Zahl 500.000 genannt. Mazower, *Inside Hitler's Greece*, p. 38. So Gabriella Etmektzoglou in: Hagen Fleischer "Das griechische Memorandum

heit war schrecklich genug. Auf der Basis von zuverlässigen Quellen läßt sich die tatsächliche Zahl eruieren: im Winter 1941/42 starben in Attika fast 35.000 Menschen an den Folgen des Hungers;[38] in der ganzen Zeit kamen als Folge des Hungers in Gesamtgriechenland etwa 90.000 Menschen ums Leben.[39]

Erst als die griechische Exilregierung in London und Washington gegen die Zustände in Griechenland protestierte und die Briten den Eindruck gewannen, daß die Griechen die Deutschen genügend hassten, stimmten sie zu, daß eine internationale Hilfsaktion unter der Ägide des Roten Kreuzes das Leid der Bevölkerung linderte.[40]

Das Jahr 1942 sah die langsame Erstarkung der Résistancegruppen auf dem Festland. Die Partisanen griffen zunächst ausschließlich italienische Einheiten an. Die Italiener revanchierten sich mit Geiselerschießungen und Niederbrennen von Dörfern, da sie die Partisanen fast nie fassen konnten; d.h. sie wandten dieselben Methoden an wie später die Deutschen.[41] Zugleich kam es zu Plünderungen und anderen Ausschreitungen durch die schlecht versorgten italienischen Truppen. Ende 1942 hatte die Widerstandsbewegung die Italiener auf die Städte zurückgedrängt. Im November 1942 kam es zur ersten spektakulären Aktion. Partisanen der rivalisierenden Résistancebewegungen ELAS und EDES sprengten unter Führung einer britischen Kommandoeinheit unter Brigadier Myers den Gorgopotamos-Eisenbahnviadukt. Um weitere Unterbrechungen des Bahnverkehrs zu unterbinden, übernahmen die Deutschen aus Saloniki in zunehmendem Maße die Bahnsicherung.

Nach der Niederlage des Afrikakorps im Frühjahr 1943 bereiteten die Alliierten die Landung in Sizilien bzw. Italien vor. Durch die Täuschungsoperation *Mince Meat* gelang es ihnen, bei der deutschen Führung den Eindruck zu erwecken, die Landung werde in Griechenland erfolgen.[42] Dieser Eindruck wurde durch die

---

zur „Washingtoner Conference on Holocaust-era Assets": Vor- und Nachbemerkungen" *Thetis* 7 (2000), p. 370.

38 Bengt Helger (ed.), *Ravitaillement de la Grèce pendant l'occupation 1941-1944 et pendant les premiers cinq mois après la liberation. Rapport final de la Commission de Gestion pour le Secours en Grèce sous les auspices du Comité Internationale de la Croix Rouge* (Athen: Société Hellénique d'Editions, 1949), pp. 618-19; Mazower, *Greece and the New Europe,* p. 86; Archive du CICR, Genf: Annexe aux rapport No. 17 de 17.3.44, IX/B/3.Auch der Vatikan kam zu dieser Zahl; Secrétairerie d'Etat de sa Sainteté (ed.), *Actes et documents du Saint Siège relatifs à la Second Guerre Mondiale,* VIII, (Rom, 1974), p. 722.

39 Fleischer, *Kreuzschatten,* p. 118. *"Insgesamt dürfte demnach der Tribut des griechischen Volkes an den dritten apokalyptischen Reiter mit ziemlicher Sicherheit unter Hunderttausend gelegen haben."*

40 Fleischer, *Kreuzschatten*, p. 123; Über die Internationale Hilfsaktion Conrad Roediger, "Die internationale Hilfsaktion für die Bevölkerung Griechenlands im Zweiten Weltkrieg" *Vierteljahreshefte für Zeitgeschichte,* 11 (1963), 49-71.

41 Fleischer, *Kreuzschatten*, p. 181; Enzo Collotti, "Zur italienischen Repressionspolitik auf dem Balkan", in: Droulia u. Fleischer, *Kalavryta*, p. 120. Von italienischer Seite liegt bislang noch keine wissenschaftliche Aufarbeitung der Geschichte der italienischen Okkupation Griechenlands vor.

42 Richter, *Revolution*, p. 230.

Operation *Animals*, den Angriff der griechischen Résistance auf italienische und zum ersten Mal auch auf einige deutsche Einheiten, verstärkt.[43] Der spektakulärste Erfolg war die Zerstörung der Asopos-Eisenbahnbrücke[44] und der taktisch erfolgreichste, die Vernichtung einer ganzen LKW-Kolonne und ihrer Begleitmannschaft Anfang Juni 1943 bei der Enge von Sarantaporo in Thessalien.[45] Die Folge war die Verlegung einiger deutscher Divisionen nach Griechenland. Diese Divisionen erhielten den Auftrag in Zusammenarbeit mit den Italienern, eine alliierte Landung zurückzuschlagen. Als dann im September 1943 Italien die Seiten wechselte, mußten die deutschen Einheiten auch noch die inneren Sicherungsaufgaben übernehmen. Damit begann auch in Griechenland der Partisanenkrieg für die Wehrmacht.

Die Résistance hatte sich während der italienischen Kapitulation mit Waffen eingedeckt und steigerte ab Herbst 1943 ihre Angriffe.[46] Die Wehrmacht reagierte auf recht unterschiedliche Weise. Einerseits unternahm sie verstärkt Versuche, durch Spaltpropaganda (Beschwörung der Kommunistischen Gefahr) einen innergriechischen Bürgerkrieg zwischen den rivalisierenden Widerstandsorganisationen EDES und ELAS in Epirus zu provozieren, was ihr im Herbst 1943 auch gelang. Andererseits unterstützte sie die Aufstellung von Kollaborationsverbänden (*Tagmata Asfaleias*), die den Kampf gegen den ideologischen Gegner aufnahmen und dadurch die Zwietracht in den griechischen Reihen verstärkten. Die Angriffe der Partisanen betrachtete sie als Terrorakte und wehrte sich durch Gegenterror.[47]

Da sich die Partisanen nach Angriffen stets in unzugängliche Gegenden absetzten, griff die Wehrmacht zum Mittel der Sühnemaßnahmen. Damit geriet die Bevölkerung der "bandenverseuchten" Gebiete in die Mühle der Terror- und Gegenterrorlogik. Bei den Vergeltungsmaßnahmen gab es graduelle Unterschiede zwischen der Wehrmacht und der SS. Massaker an Frauen und Kindern (Distomo und Klisoura) gingen normalerweise auf das Konto der SS.[48] Die SS hielt sich auch

---

43 Fleischer, *Kreuzschatten*, p. 216f.

44 Hermann Frank Meyer, "Auch Brücken haben ihre Schicksale. Zerstörung und Wiederaufbau der Asopos-Brücke in Griechenland im Sommer 1943" *Thetis* 4 (1997), pp. 263-282.

45 Taktisch betrachtet war dieser Überfall insofern der erfolgreichste der ELAS überhaupt, denn er vernichtete fast den ganzen Fuhrpark der 117. Jäger-Division, der gerade mit viel Mühe zusammengestellt worden war und von Bulgarien aus überführt wurde. Zugleich war er der bis dahin blutigste, denn es fielen fast 100 deutsche Soldaten bzw. wurden als Gefangene liquidiert. Fleischer, *Kreuzschatten*, p. 182 und Hermann Frank Meyer, Von Wien nach Kalvryta. Die blutige Spur der 117. Jäger-Division durch Serbien und Griechenland (Möhnesee: Bibliopolis, 2002).

46 C.M. Woodhouse, *Apple of Discord., A Survey of Recent Greek Politics in their International Setting* (London: Hutchinson, 1948), p. 158

47 Richter, *Revolution*, p. 388ff.

48 Zu Distomon und Kleisoura siehe den Aufsatz von Dieter Begemann, "Tatort Distomo: Eine Maßnahme im Rahmen der Kriegsführung und wie man dagegen immun wird" in: Karl Giebeler, Heinz Richter, Reinhard Stupperich (eds.), *Versöhnung ohne Wahrheit? Deutsche Kriegsverbrechen im Zweiten Weltkrieg* (Mannheim: Bibliopolis, 2001), pp.. 42-57.

an die von Berlin befohlene Sühnequote von 1:50, wohingegen die Wehrmacht sich mit 1:10 "begnügte". Doch auch die Wehrmacht beging entsetzliche Verbrechen, so z. B. die 1. Gebirgsdivision in Epirus, wo das Dorf Kommeno ohne jeglichen Grund ausgelöscht wurde.[49] In Kalavryta hingegen ging dem deutschen Massaker an etwa 500 männlichen Einwohnern die Ermordung von 81 deutschen Kriegsgefangenen durch Partisanen voraus. Die ganze Operation Kalavryta forderte etwa 700 Tote.[50]

Der deutsche Gegenterror zeigte bei den sog. blauen (nationalen) Résistanceverbänden ähnlich wie in Jugoslawien (Michailović) Wirkung. So schloß EDES-Chef Zervas nachweislich ein Stillhalteabkommen mit der Wehrmacht, das fast ein halbes Jahr eingehalten wurde.[51] Die deutschen Verluste im Partisanenkampf sind damit fast ausschließlich der ELAS zuzuschreiben. Sie beliefen sich auf ca. 3.000 bis 4.000 Mann, denen etwa 30.000 bis 40.000 "Feindverluste" (direkte Verluste, Repressalien, Sühnemaßnahmen) gegenüberstanden.[52] Die griechische Résistance band relativ wenige deutsche Truppen: im Bereich des Oberbefehlshabers Südost, d.h. in Serbien und Griechenland, befanden sich Anfang 1944 rd. 14 deutsche und 8 verbündete Divisionen; in Griechenland (Kreta eingeschlossen) und Südalbanien lagen davon ständig fünf deutsche Divisionen[53] und einige Festungsbataillone, wobei nur die auf Kreta stationierte 22. Division und die 117. Division voll einsatzfähig waren. Die Hauptaufgabe dieser Einheiten war jedoch nicht die sog. Bandenbekämpfung, sondern nach wie vor die Abwehr einer potentiellen Landung der Alliierten.

Bis zum Abzug gelang es den Deutschen, die städtischen Zentren zu kontrollieren und die Verbindungswege offenzuhalten. Wenn es beim deutschen Abzug aus Griechenland nicht zu letzten sinnlosen Zerstörungen z. B. in Athen und Thessaloniki kam, so war dies der Initiative einiger mutiger Persönlichkeiten, wie Roland Hampe und Georg Eckert zuzuschreiben, denen es gelang, beide Seiten in der Schlußphase zur Zurückhaltung zu bewegen.[54]

---

49 Hermann Frank Meyer, "Das 98. Regiment der 1. Geb.-Division in Griechenland,Teil 1: Das Massaker von Komeno" *Thetis* 5/6 (1999), pp. 409-447; ders., *Kommeno. Erzählende Rekonstruktion eines Wehrmachtverbrechens in Griechenland* (Köln: Romiosini, 1999); Mark Mazower, "Militärische Gewalt und nationalsozialistische Werte" In: Hannes Heer & Klaus Naumann, *Vernichtungskrieg. Verbrechen der Wehrmacht 1941-1944* (Frankfurt: Zweitausendeins, 1997), pp. 157-90. Hermann Frank Meyer, *Blutiges Edelweiß. Die 1. Gebirgs-Division im Zweiten Weltkrieg* (Berlin: Ch. Links, 2008).

50 Fleischer, *Deutsche Ordnung*, p. 170; Walter Manoschek & Hans Safrian, "717./117. IDF. Eine Infanterie-Division auf dem Balkan", in: Heer/Naumann, *Vernichtungskrieg*, pp. 359-373; Meyer, *Kalavryta*.

51 Heinz A. Richter, "General Lanz, Napoleon Zervas und die britischen Verbindungsoffiziere" *Militärgeschichtliche Mitteilungen* 1 (1989), pp. 1-28.

52 Fleischer, *Griechenland - Der Krieg geht weiter*, p. 185

53 22. ID., 104 Jäg. Div., 117. Jäg. Div., 11. Luftwaffen-Feld-Div., 4. SS-Pz-Pol-Gren-Div, sowie einige Bataillone der 999. Div..

54 Heinz A. Richter, "Sozialdemokratischer Widerstand im besetzten Griechenland: Georg Eckert und seine Gruppe" *Thetis* 7 (2000), pp. 237-252; Roland Hampe, *Die Rettung Athens im Oktober 1944* (Wiesbaden: Franz Steiner, 1955).

Nicht vergessen werden darf in diesem Zusammenhang das finsterste Kapitel der deutschen Besatzung Griechenlands, die Durchführung der "Endlösung."[55] Sie geschah in zwei deutlich getrennten Phasen. Die ersten Opfer waren die Juden Thessalonikis; sie waren die Nachkommen jener spanischen Juden, die sich im 15. und 16. Jahrhundert den Nachstellungen der Inquisition im Rahmen der *Reconquista* durch Flucht ins osmanische Reich entzogen hatten. Um 1900 zählte die jüdische Gemeinde etwa 80.000 Seelen, bis 1940 hatte sich diese Zahl durch Auswanderung nach den USA und Palästina auf etwa 59.000 verringert. Die Juden Thessalonikis hatten sich im Gegensatz zu den meisten anderen jüdischen Griechen nie assimiliert und sprachen nach wie vor ihren altkastilischen Dialekt. Politisch und gesellschaftlich bildeten sie eine Art Staat im Staat,[56] der vom griechischen Staat toleriert wurde.

Schon kurz nach der deutschen Besetzung begannen die ersten Repressionsmaßnahmen. Mitte Juli 1941 tauchte das Kommando Rosenberg auf und konfiszierte die riesigen Bibliotheken und Kunstschätze der jüdischen Gemeinde und transportierte sie nach Deutschland. Nach einigen relativ ruhigen Monaten war es die Wehrmacht, die im Juli 1942 die Juden Thessalonikis zu Zwangsarbeiten einsetzte: der Militärbefehlshaber Saloniki-Ägäis Generalleutnant v. Krentzki setzte sie zum Straßen- und Befestigungsbau ein. Ausführendes Organ war der Kriegsverwaltungsrat Max Merten.[57] Die Arbeitsbedingungen waren so unmenschlich, daß die Sterblichkeit nach 2½ Monaten Arbeit auf 12% stieg. Dies veranlasste den griechischen Kollaborations-Ministerpräsidenten Logothetopoulos zu massiven Protesten, was mit zu dessen Sturz beitrug.[58] Die deutschen Stellen "erlaubten" daraufhin den Juden, sich für eine astronomische Summe von der Zwangsarbeit freizukaufen, was zum finanziellen Ruin der Gemeinde führte.

---

55 Richter, *Revolution*, p. 235ff; Esther Benbassa & Aron Rodrigue, *The Jews of the Balkans. The Judeo-Spanish Community, 15th to 20th Centuries* (Oxford: Blackwell, 1995); I.K. Hassiotis (ed.), *The Jewish Communities of Southeastern Europe* (Thessaloniki: IMXA, 1997); Ministry of Foreign Affairs & University of Athens (ed.) *Documents on the History of the Greek Jews* (Athen: Kastaniotis, 1998); Michael Matsas, *The Illusion of Safety. The Story of the Greek Jews During the Second World War* (New York: Pella, 1997).

56 Michael Molho, *In Memoriam. Hommage aux Victimes Juives des Nazi en Grèce* (Salonique, 1948).

57 Merten hatte den Rang eines Hauptmanns und leitete die Abteilung "Verwaltung und Wirtschaft" im Stabe des Militärbefehlshabers, mit anderen Worten: Merten war ein relativ kleines Rädchen im Getriebe der dt. Militärverwaltung. Im Zusammenhang mit der Deportation der Juden aus Thessaloniki taucht sein Name zwar ständig auf den betreffenden Aktenstücken auf, doch er war ausführendes Organ, das keine eigenen Initiativen entwickeln konnte. Wenn er Ende der 50er Jahre zum gesuchten Kriegsverbrecher hochstilisiert wurde, so hatte dies sehr viel mit griechischer Innen- und Wirtschaftspolitik zu tun. Olga Lazaridou, "Von der Krise zur Normalität, die deutsch-griechischen Beziehungen unter besonderer Berücksichtigung der politischen und wirtschaftlichen Grundlagen (1949-1958), Diss. (Bonn, 1992), pp. 252-262. Wolfgang Breyer, *Dr. Max Merten - ein Militärbeamter der deutschen Wehrmacht im Spannungsfeld zwischen Legende und Wahrheit.* Diss. (Mannheim, 2003) = http://madoc.bib.uni-mannheim.de/madoc/volltexte/2003/77/.

58 Molho, *op. cit.*, p. 47. Konstantinos Logothetopoulos, *Idou i alitheia* (Athen, 1948), p. 77f.

Anfang Februar 1943 begann der letzte Akt des jüdischen Dramas in Thessaloniki, als SS-Hauptsturmführer Wisliceny mit einigen SD-Leuten erschien. Es folgten die "üblichen" Maßnahmen im Rahmen der Nürnberger Rassegesetze (Kennzeichnung, Ghettoisierung, Isolierung, Vermögens- und Personenerfassung, usw.). Mitte März 1943 begannen die ersten Transporte nach Auschwitz, die bis zum 1. Juni dauerten, als die jüdische Führungselite, die bis dahin mit den Mördern kooperiert hatten, abtransportiert wurde. Insgesamt kamen 46.091 Mitglieder der jüdischen Gemeinde von Thessaloniki (95%) ums Leben.[59] Diese hohe Zahl erklärt sich u.a. durch die schon immer bestehende gesellschaftliche Isolierung der Juden Thessalonikis, die große geographische Distanz zu den Widerstandszentren in den Bergen, den starken Zusammenhalt der Familien und nicht zuletzt auch durch die beruhigenden Versicherungen des Rabbiners Koretz.[60]

Im Gegensatz zu den meisten anderen besetzten Ländern Europas nahmen viele Griechen die Verfolgung und Verschleppung ihrer jüdischen Mitbürger nicht widerstandslos hin oder beteiligten sich gar, obwohl es auch einen griechischen Antisemitismus gab. Die Kirche, allen voran der Athener Erzbischof Damaskinos, aber auch die Ministerpräsidenten Logothetopoulos und Rallis sowie Berufsorganisationen wie z.B. die der Rechtsanwälte und Lehrer protestierten bei den deutschen militärischen und diplomatischen Stellen. Sogar Offiziere der italienischen Besatzungsmacht bemühten sich, Juden zu retten. In Athen lehnte der Kommandeur der italienischen 2. Armee, General Geloso, die Einführung der Nürnberger Rassegesetze ab und schützte die Synagoge und das jüdische Gemeindehaus vor antisemitischen griechischen Attacken.[61] Nach dem Seitenwechsel der Italiener versuchte die SS mit unterschiedlichem Erfolg, auch die Juden des bisherigen italienischen Besatzungsgebietes zu deportieren. Viele der besser integrierten "Diasporajuden" konnten untertauchen und die Résistance half ihnen zur Flucht. Auch einige deutsche Kommandeure versuchten den Abtransport zu verhindern, so erfolgreich der Inselkommandant von Zakynthos und ohne Erfolg Oberst Jäger auf Korfu. Aber immerhin war dadurch die Zahl der ermordeten Diasporajuden erheblich kleiner.[62] Dennoch zahlten die griechischen Juden (nach den polnischen mit 90% Verlusten) mit 81% den zweithöchsten Blutzoll im besetzten Europa.[63]

---

59 Molho, *op. cit.*, p. 98.

60 Zu dieser umstrittenen Persönlichkeit Fleischer, *Kreuzschatten*, p. 366.

61 Richter, *Revolution*, p. 241.

62 Vor dem Krieg lebten in Griechenland etwa 70.000 Juden. 10.226 überlebten die Okkupation; etwa 2.000 Deportierte kehrten zurück. Insgesamt wurden annähernd 60.000 Juden ermordet. Fleischer, *Kreuzschatten*, p. 368.

63 Richter, *Revolution*, p. 240.

Eine Darstellung der Entwicklung auf der Handlungsebene der Résistance im Rahmen dieser Ausführungen ist unmöglich, dennoch soll versucht werden, die für die weitere Entwicklung wichtigsten Elemente herauszuarbeiten. Es entstanden drei größere Widerstandsorganisationen: die EAM/ELAS, die EDES und die EKKA. Alle waren zumindest in der Anfangsphase republikanisch, die EDES war liberal, die EKKA linksliberal und die EAM/ELAS sozialistisch/kommunistisch. Konservativen oder monarchistischen Widerstand gab es nicht. Die EAM/ELAS soll zusammen mit ihren Suborganisationen insgesamt 1.5 Millionen Griechen (von damals 7.5 Mio) Mitglieder gehabt haben. Die Zahlenangaben erscheinen übertrieben, dürften aber tendenziell stimmen. Die militärische Bedeutung des Widerstandes war - wie schon dargelegt - eher als gering einzustufen.

Die eigentliche Bedeutung des griechischen Widerstandes lag in seiner politischen Wirkung auf die griechische Gesellschaft. Die EAM und ihre Unterorganisationen bauten den Staat und die Gesellschaft von unten her durch eine Art Graswurzeldemokratie neu auf. Der frühere extreme Zentralismus Athens wurde durch eine Dezentralisierung der politischen Entscheidungsprozesse in der Form der örtlichen Selbstverwaltung ersetzt. Die tatsächliche Gleichstellung von Mann und Frau in den Organen und Aktivitäten der Résistance bedeutete den Beginn der überfälligen Frauenemanzipation. Die Einführung der Volksgerichtsbarkeit mit Anklängen an alte Traditionen beendete die Herrschaft des 1830 dem Lande oktroyierten Rechtssystems. Die Einführung der Volkssprache (Dimotiki) ermöglichte auch einfachen Leuten ohne Gymnasialbildung, am öffentlichen Leben teilzunehmen und z. B. zum ersten Mal in der Geschichte Griechenlands die Verhandlungen vor Gericht zu verstehen. Theatergruppen brachten Kultur auf die Dörfer. Die Einrichtung von medizinischen Stationen, Alphabetisierungskampagnen für Erwachsene, Anschluß auch entlegener Dörfer an das Telefonnetz waren weitere Elemente der Modernisierung des Landes von unten her. Diese Veränderungen führten dazu, daß die Bürger begannen, sich mit diesem neuen Staatswesen zu identifizieren. Insgesamt begann sich eine Renaissance des griechischen Staatswesens und der Gesellschaft von unten her abzuzeichnen.[64]

Im März 1944 errichtete die EAM das Politische Komitee der Nationalen Befreiung (PEEA), das unter der Bezeichnung "Regierung der Berge" in die griechische Geschichte einging. Diese Regierung erhob Steuern und führte eine eigene stabile Währung ein. Im Mai 1944 hielt sie Wahlen ab, die nachweislich frei waren und an denen auch die Frauen teilnehmen durften. Etwa eine Million Griechen stimmten ab und wählten 250 Delegierte zum Nationalen Rat. Dieser beschloß eine neue Verfassung, verabschiedete Gesetze und Verordnungen. Zum

64 Fleischer, *Kreuzschatten*, p. 397ff; Richter, Woodhouse, *Apple of Discord*, p. Fleischer, *Griechenland - Der Krieg geht weiter*, pp. 173-5;

Zeitpunkt des Abzugs der Deutschen kontrollierten Rat und PEEA etwa 90 Prozent des griechischen Staatgebietes.[65]

Basis dieser Renaissance des griechischen Staatswesens war die hingebungsvolle Mitarbeit und Opferbereitschaft breiter Bevölkerungsschichten, die auf eine bessere, sozial gerechtere Nachkriegsgesellschaft hofften.[66] Allerdings darf in diesem Zusammenhang nicht verschwiegen werden, daß die EAM und ihre Unterorganisationen versuchten, den Widerstand zu monopolisieren, wobei sie nicht einmal vor Mord, wie im Fall Psarros, und Bürgerkrieg mit der EDES zurückschreckten.[67] Dies bringt uns zur Frage nach der Rolle der Kommunistischen Partei Griechenlands (KKE) in dieser Zeit. Wollte die KKE nach dem Krieg die Diktatur des Proletariates errichten, wie ihre Gegner behaupteten?

Es besteht kein Zweifel, daß die KKE in der EAM eine wichtige Rolle spielte, aber sie beherrschte sie nicht. In der Führung der EAM saßen neben den Kommunisten auch eine Reihe progressiver Persönlichkeiten, Führer ehemaliger linker Klientelparteien. Die Masse der Mitglieder der EAM stammte aus dem liberalen, venizelistischen Lager, die zeitweilig ihre Loyalität auf die EAM übertrugen. Außerdem gab es in ganz Griechenland zu Beginn der Okkupation gerademal 800 Parteimitglieder, von denen etwa 50 in der Wolle gefärbte Kommunisten waren. Im Verlauf der Okkupation erlebte die KKE einen Massenzulauf, so daß sie im Oktober 1944 etwa 200.000 Mitglieder hatte.[68] Dieser Wandel von einer Politsekte zu einer Massenpartei hatte natürlich Konsequenzen. An der Basis gab es offene Diskussion und freie Abstimmung, weiter oben kam es zu Flügelkämpfen, d. h. die KKE wurde zur heterogenen, demokratisch-sozialistischen Massenbewegung mit stark populistischen Zügen. Den wenigen Hardlinern war es nicht möglich, diese Bewegung auf dem schmalen Pfad der kommunistischen Orthodoxie zu halten. Mit anderen Worten: die KKE war dabei, eine Entwicklung vorwegzunehmen, die Jahrzehnte später als Eurokommunismus bezeichnet wurde.[69] Dies zeigt sich auch deutlich in ihrem Programm für die Nachkriegszeit. Außenpolitisch strebte man nach Nationaler Unabhängigkeit, d. h. man wollte das alte klientelistische Abhängigkeitsverhältnis zu Großbritannien beenden und durch eine Partnerschaft auf gleicher Augenhöhe ersetzen. Innenpolitisch wollte man eine demokratische, sozial gerechtere Republik mit

---

65 Fleischer, *Kreuzschatten*, p. 406f; Richter,

66 Fleischer, *Griechenland - Der Krieg geht weiter*, p. 176.

67 Ders., *Kreuzschatten*, p.200f.

68 Heinz A. Richter, "Die griechische kommunistische Partei (KKE) 1944 - 1947: Von der Massenpartei zur Kaderpartei", in: Dietrich Staritz und Hermann Weber,(eds.), *Einheitsfront Einheitspartei. Kommunisten und Sozialdemokraten in Ost- und Westeuropa 1944 - 1948* (Köln: Verlag Wissenschaft und Politik, 1989), pp. 453-468.

69 Ders, "Die Entwicklung der griechischen Linken 1918-1996", in: Patrick Moreau, et al. (eds.), *Der Kommunismus in Westeuropa* (Landsberg: Olzog Verlag, 1998), pp. 134.

modernen Strukturen, d.h. man wollte sich europäisieren und das Kernübel Griechenlands den Klientelismus beseitigen.

Beim deutschen Abzug im Oktober 1944 schienen die innenpolitischen Ziele weitgehend erreicht. Es galt nun, die Republik und die äußere Unabhängigkeit zu gewinnen. Dies konnte allerdings nur mit Zustimmung Großbritanniens geschehen. Stimmte London nicht zu, mußte dies zur Konfrontation und damit zum nächsten Akt der griechischen Tragödie führen. Genau dies geschah: Für Churchill war eine pro-britische griechische Nachkriegsrepublik nicht vorstellbar. Für ihn war Griechenland ein unverzichtbares Glied der britischen Life-Line durchs Mittelmeer, dessen pro-britische Haltung nur durch den Monarchen garantiert war. Dieser mußte also, koste es, was es wolle, zurück auf seinen Thron gebracht werden.

Als Churchill im Sommer 1943 im Zusammenhang mit der Kairoer Mission der Résistance[70] erkannte, daß die Mehrheit der Griechen gegen die Rückkehr des Monarchen war, befahl er, eine militärische Intervention vorzubereiten, um ihn mit Gewalt zurückzubringen. Zur Rechtfertigung beschwor man die kommunistische Gefahr, d. h. Churchill behauptete, daß nach dem Abzug der Deutschen in Griechenland die Diktatur des Proletariates, ein Sowjetstaat, errichtet werden solle.[71] Da sich der deutsche Abzug verzögerte, konnte Churchill in aller Ruhe seine militärischen und diplomatischen Vorbereitungen treffen. Im August 1944 befahl er den Militärs in Nahost, in Griechenland wie ein Blitz aus heiterem Himmel zuzuschlagen[72] und am 9. Oktober schloß er mit Stalin das berüchtigte Prozentabkommen, mit dem er die bevorstehende Intervention absicherte und die übrigen Balkanstaaten (mit Ausnahme Jugoslawiens) den Sowjets überließ.[73]

Die unproblematische Rückkehr der griechischen Exilregierung im Oktober bestätigte nochmals, daß die EAM/KKE keinesfalls die Machtübernahme anpeilte, denn sonst hätte sie weder die Exilregierung noch die Briten ins Land gelassen. Statt dessen bewies sie bis Ende November ständig ihre Kompromißbereitschaft. Briten und Regierung hingegen suchten die Konfrontation. Am 3. Dezember 1944 war es soweit. Die griechische Polizei eröffnete das Feuer auf eine nachweislich unbewaffnete Demonstration der Linken.[74] Es folgte ein 30 Tage dauernder Krieg, die sog. Demkemvriana, von Briten und Regierungsstreitkräften gegen die Reserve-ELAS Athens,[75] der genau zur Zeit von Hitlers Ardennenoffensive stattfand. Die Londoner *Times* sprach von einer *"fascist action"*, in der britischen und amerika-

70 Fleischer, *Kreuzschatten*, p. 230f; Richter, *Revolution*, p. 304-323.

71 Winston Churchill, *The Second World War*, X, *Assault from the Air* (London: Cassell, 1964), p. 189.

72 Ders, *Ibidem*, XI, *The Tide of Victory*, p. 251.

73 *Ibidem*, p. 201.

74 Lars Bærentzen, "The Demonstration in Syntagma Square on Sunday the 3rd of December, 1944" *Scandinavian Studies in Modern Greek* 2(1978), 3-52.

75 Heinz A. Richter, "The Battle of Athens and the Rôle of the British", in: Marion Sarafis (ed.), *Greece: From Resistance to Civil War* (Nottingham: Spokesman, 1980), S. 78 - 90; ders, *Revolution*, pp.517-47.

nischen Öffentlichkeit kam es zu massiven Protesten, und Präsident Roosevelt war empört; von Moskau war nicht ein Wort der Kritik zu hören, Stalin hielt sich an das Prozentabkommen.

Der im Februar geschlossene Friedensvertrag von Varkiza war ein fairer Kompromiß.[76] Wäre er seinem Wortlaut und seinem Geist nach eingehalten worden, hätte er zu einer friedlichen Nachkriegsentwicklung Griechenlands führen können. Statt dessen ging mit britischer Billigung eine konterrevolutionäre Welle über das Land, die die bei der Befreiung bestehenden Machtverhältnisse umkehrte. Griechenland wurde zum einzigen Land Europas, wo die Kollaborateure nicht nur nicht bestraft, sondern belohnt wurden und die Mitgliedschaft in der Résistance als Verbrechen betrachtet und entsprechend verfolgt wurde. Kollaboration galt als kleineres Übel als die Mitgliedschaft in der KKE.[77] Es begann jener Prozeß von Verfolgung und Gewalt, der im März 1946 die erste Anwendung von Gegengewalt im Dorf Litochoro am Fuß des Olymps provozierte.[78] Im März 1946 fanden Parlamentswahlen statt. Mit der Begründung, daß der omnipräsente Terror der Rechten das Wahlergebnis verfälsche, boykottierte die gesamte Linke die Wahlen. Dies war ein katastrophaler Fehler, denn nach britischen Schätzungen hätte die Linke trotz allem noch ca. ein Drittel, also 100 der 300 Mandate gewonnen.[79] Eine derart starke Opposition hätte den nun einsetzenden Eskalationsprozeß zum Bürgerkrieg bestimmt verhindern können. Durch den Boykott hatte die griechische Rechte freie Hand. Im Herbst hielt sie ein manipuliertes Plebiszit über die Rückkehr des Monarchen ab und verstärkte die Verfolgung der Opposition.

Außenpolitisch geriet Griechenland in eine stärkere Abhängigkeit als je in seiner Geschichte. In London bezeichnete man 1945 Griechenland als ein *protectorate*, in dem der britischen Botschafter die Rolle des *High Commissioner* spielen müsse.[80] 1947 kam es im Rahmen der Truman Doktrin zum Wachwechsel von Großbritannien zu den USA. Die Amerikaner mischten sich mit Eifer in den eskalierenden Bürgerkrieg ein, und Griechenland wurde zum Schauplatz des ersten heißen Kriegs im auf Touren kommenden Kalten Krieg. Der Bürgerkrieg selbst dauerte bis Sommer 1949 und stürzte das verwüstete Land in erneutes Elend. 1949 floh die geschlagene Linke ins Exil in die Staaten des Ostblocks. In Griechenland war das Resultat des Bürgerkrieges eine fast durchgehende Vorherrschaft der griechischen

---

76 Ders, "The Varkiza Agreement and the Origins of the Greek Civil War", in: John O. Iatrides, ed., *Greece in the 1940s. A Nation in Crisis* (Hanover, N.H.: University Press of New England, 1981), S. 167 - 180

77 Churchill an Sir Orme Sargent 22 April 1945. Prime Minister's Personal Minute Serial No. M 382/5. PRO FO 371 R 7423/4/19.

78 Heinz A. Richter, *British Intervention in Greece: From Varkiza to Civil War, February 1945 - August 1946* (London: The Merlin Press, 1986).

79 *Ibidem*, p. 505

80 Discussion on Greece at the British Embassy, Athens 15th February, 1945. PRO, FO 371 R 3559/4/19; Relations between HMG and the Greek Government, Minutes. PRO, FO 371 R 4385/4/19. In Deutschland hatten wir damals vier Hochkommissare.

Rechten bis 1974.[81] Es bedurfte der Erschütterungen durch die türkische Zyperninvasion 1974, um einen Neuanfang zu ermöglichen. 1982 schließlich wurde in einem ersten Schritt die Résistance rehabilitiert und als *Nationaler* Widerstand anerkannt und durch einen Satz Sonderbriefmarken geehrt.[82] Eine der vielen Tragödien der griechischen Geschichte war zu Ende.

81 Theodoros Lagaris, *Innerer Feind, Nation und Demokratie. Zum Legitimationsprozeß in Griechenland nach dem Bürgerkrieg* (Baden-Baden: Nomos, 2000); Constantine Tsoukalas, *The Greek Tragedy* (Harmondsworth: Penguin, 1969).

82 Die griechische Rechte hatte einen totalen Überwachungsstaat errichtet, der sogar die Erschütterungen von 1974 überstand. Erst mit der Bildung der Regierung Tzantakis 1989 aus Konservativen (Nea Dimokratia) und Kommunisten (KKE) wurde bekannt, daß es etwa 16 Millionen Dossiers über die Linke gab. *Neue Zürcher Zeitung* (3. September 1989).

Josef Schwind

Photographien aus Griechenland

1942-1944

Alt-Korinth, Blick vom Apollon-Tempel auf Akrokorinth, 1.11.1943

Alt-Korinth, Apollon-Tempel, 25.5.1942

Alt-Korinth, Apollon-Tempel, im Hintergrund der Berg von Akrokorinth, 1.11.1943

Alt-Korinth, Apollon-Tempel, 1.11.1943

Alt-Korinth, Agora mit Apollon-Tempel, Ausflug mit Hauptmann Offenhäuser und Major Hering, rechts Josef Schwind, 1.11.1943

Alt-Korinth, Agora, klassizistisches Gebälkornament vom Rundtempel des Cn. Babbius Philinus, 1.11.1943

Alt-Korinth, Agora mit römischer Stoa und Apollon-Tempel, 1.11.1943

Alt-Korinth, strickende Schäferin, 1.11.1943

Alt-Korinth, alte Frau beim Spinnen, 1.11.1943

Alt-Korinth, dieselben Frauen beim Spinnen und Stricken, 1.11.1943

Alt-Korinth, 1.11.1943

Blick auf Alt-Korinth und Bucht von Loutraki, die Frauen sitzen vor dem länglichen Gebäude vorn rechts, 1.11.1943

Akrokorinth, Josef Schwind (Mitte) mit Hauptmann Offenhäuser und Major Hering

Akrokorinth, äußeres Tor, 1.11.1943

Akrokorinth, äußere Toranlage von oben, 1.11.1943

Am Korinthischen Golf. Blick auf Korinth

Auf dem Weg von Perachora nach Loutraki bei Korinth, 29.11.1942

Zu Schwinds Lieblingsmotiven gehören Mulis und Esel

Ein seltenes Bild: Sie reitet und er geht zu Fuß

Transport von Brennmaterial

Strohtransport

In Körben konnten beliebige Lasten befördert werden

Belaubte Zweige als Futter für die Ziegen

Der geduldige Helfer des Menschen

Schwind fotografierte nicht nur griechische Schildkröten, er brachte auch mindestens eine von ihnen, die Athenia genannt wurde, nach Regensburg, wo sie sogar eine längere Verschüttung durch einen Bombenangriff überlebte.

Bienenstöcke auf der Insel Salamis, 26.2.1943

Familien vor ihren Sommerhütten im südöstlichen Attika, 29.4.1942

Auch die Hühner und der Hund sind dabei, 29.4.1942

Sommerhütten im südöstlichen Attika, 29.4.1942

Inselmädchen

Romamädchen

Wohnhütte aus ungebrannten Lehmziegeln an der Straße von Chalkis nach Aliverion, Euböa 20.10.1942

Wohnhütte armer Leute in Chalkis (Euböa), 20.10.1942

Die Bewohner derselben Hütte in Chalkis (Euböa), 20.10.1942 (vermutlich Flüchtlinge aus Kleinasien)

Romafamilie bei Sparta, 27.5.1942

Weintraubenverkäufer an der Straße

Holzsammlerin am Imittos bei Athen. Ein Bild, das Not zeigt, dennoch Freude signalisiert und auch viel über den Fotografen aussagt.

Bauernfamilie beim Getreideworfeln auf der traditionellen Rundtenne

Bauernfamilie beim Getreideworfeln. Die Frauen fegen die Körner zurück.

Dreschen auf einer typischen gepflasterten Rundtenne

Bauernfamilie auf dem Weg

Ländlicher Verkehr vor terrassierten Feldern

Traditionelle Ordnung: Der Bauer reitet, das Frauenvolk geht zu Fuß

Impressionen aus Kea, 12.11.1942

Reitausflug auf Kea, an der Spitze der Kolonne Josef Schwind, 12.11.1942

Reitausflug auf Kea, 12.11.1942

Kreta: Schwind bei der Rückkehr vom Truppenbesuch, 8.9.1942

Mühle auf Kreta, 8.9.1942

Mühle auf Kea, 12.11.1942

Das Mahlwerk im Innern der Mühle

Am Backofen

Theben, Wasserstelle, im Hintergrund großes Wasserrad, 3.3.1943

Theben, Soldaten und waschende Frauen an der Wasserstelle, 3.3.1943

Frauen auf dem Weg zum Wasserholen, vermutlich auf Kerkyra

Wäsche am Brunnen von Agios Vasileios, zwischen Korinth und Nafplio, 28.11.1942

Frauen an einem Brunnen

Begegnung in einem Dorf am Wege

Familie in einem Dorf am Wege, die beiden Frauen sind mit denen an der Haustür identisch

Feldbrunnen mit pferdebetriebenem Göpel-Pumpwerk

Brunnen mit Pumpwerk in Mavrovouni bei Gythio, Südpeloponnes, 30.6.1942

Transport von Weinschläuchen

Auf dem Weg zur Weinlese

Lkws waren rare Verkehrs- und Transportmittel während der Besatzungszeit; im Vordergrund halbrechts offenbar ein italienischer Soldat

Am Bahnsteig: Fliegende Händler – meist Kinder – versuchen ihr Glück.
Im Zug offenbar deutsches Militär (Kopf oben rechts mit Erkennungsmarke.)

Derselbe Bahnhof, kindliche Händler auf dem Bahnsteig

Wasserstelle, bei einer Befestigung, vermutlich bei Aigio

Der einachsige Pferdewagen war noch ein luxuriöses Reisemittel für eine Familie

Zwei Priester unterwegs

Kalamata, Juli 1944; im Vordergrund einige der für die Besatzungszeit typischen Behelfskarren („karotsakia")

Eine kleine Eselreiterin

Kinder und Familien gehören zu Schwinds bevorzugten Fotomotiven

Auch ein Muli hat Hunger

Transport von Brennmaterial. Hier ist das Maultier unter der schweren Last zusammengebrochen. Trotz Schnee und Winterkälte ist der Junge rechts barfüßig.

Kindergruppe

Bei Nisch, Serbien, 7.3.1943: „Bitte kleine Brot!“ [einziges außerhalb Griechenlands aufgenommenes Foto in der überlieferten Sammlung]

Alte Frau beim Spinnen auf dem Felde

Fellhändler

Kea, Greisin beim Muschelputzen, 12.11.1942

Im Olivenhain (Kerkyra?)

Bei der Olivenernte

Bei der Olivenernte

Kinder und Großmutter, das Mädchen in der Mitte sieht man auch auf Seite 87

Junge Frau beim Stricken vor dem Hause

Gasse in Kea, 12.11.1942

Insel Hydra, Hafen, 14.6.1943

Insel Hydra, Blick von oben über den Ort auf den Hafen, 14.6.1943

Naxos, Hafen, 26.4.1943. Der Menschenauflauf hängt wohl mit dem eben gelandeten Wasserflugzeug zusammen.

Naxos, Hafen, 26.4.1943

Adamas auf Milos, Blick auf den Hafen von See, d.h. vom Wasserflugzeug aus, 26.4.43

Adamas auf Milos, Hafen

Im Wasserflugzeug vor der Insel Astypalaia

Im Anflug auf Astypalaia

Der Hauptort der Insel Astypalea

Milos, Weg vom Kap Tigani zur Südbucht, im Hintergund Plaka, 26.8.1943.
In der Bucht ist Schwinds Wasserflugzeug, wohl eine Arado, zu erkennen.

Luftaufnahme von Kephalonia, 16.10.1943

Kephalonia, Halbinsel Lixourion, 16.10.1943

Über Kassandra, Chalkidiki, 16.4.1943

Auf dem Weg nach Skyros auf der Insel Skyros, 16.4.1943

Argos, Blick von der Kirche Ag. Petros in der Stadt auf die Burg auf der Larissa, 26.5.1942

Mistra, Blick von der mittelalterlichen Ruinenstadt auf die Burg, 30.6.1942

Kythira, Blick zur Burg, 9.5.1943

Chania auf Kreta, 9.9.1942

Chania auf Kreta, 9.9.1942

Chania auf Kreta, 9.9.1942

Iraklion, Kreta, Lebensmittelläden, 9.9.1942

An der Bekleidung lässt sich die unterschiedliche Lage der verschiedenen Personen während der Besatzungszeit unschwer ablesen.

Kalamata, Juli 1944

Vor Patras, Blick auf Stadt und Burg, 17.10.1943

Vor Patras, Hafen mit Blick auf Stadt und Burg, im Vordergrund wohl ein Sperrnetz

Blick auf Patras mit Kathedrale des Heiligen Andreas, 17.10.1943

Patras, im Hafen, Juli 1944

Fährschiff mit Tarnanstrich in Krioneri, östlich von Patras

Patras, Hafen, 29.5.1942

Patras, Hafen

Seeleute bei der Arbeit, vor Karystos, Süd-Euböa, 24.11.1942

Patras, Odos Kolokotroni mit Blick auf Burg, 30.5. 1942

Patras, Odos Kolokotroni, dieselbe Ansicht ein halbes Jahrhundert später, (Foto A.K.)

Blechwaren aller Art

Diese Szene vor einer Fleischauslage macht die Not der Besatzungszeit überdeutlich sichtbar.

Kafeneion „I Synantisis" / Café „Die Begegnung"

Bettler in Athen

Athen, Monastiraki-Platz

Athen, Odos Athinas

Ἡ «Βραδυνή»

„Η ΒΡΑΔΥΝΗ" Δευτέρα 16 Φεβρουαρίου 1942

Η ΑΘΗΝΑ ΟΠΩΣ ΕΙΝΑΙ ΣΗΜΕΡΑ

Καροτσάκια γιὰ... τρόφιμα, κασσόνια γιά... ἐπιβάτες

ΤΑ ΠΑΛΗΑ ΚΑΡΡΟΤΣΑΚΙΑ, ΤΟΥ ΣΤΑΘΜΟΥ ΠΟΥ ΤΑ ΠΕΡΙΦΡΟΝΟΥΣΑΜΕ - ΤΑ ΝΕΑ ΔΙΤΡΟΧΑ ΚΑΣΣΟΝΙΑ ΠΟΥ ΒΑΣΙΛΕΥΟΥΝ. - ΡΟΔΕΣ ΑΠΟ ΚΑΟΥΤΣΟΥΚ ΚΑΙ ΚΑΣΣΕΣ ΜΕ ΞΕΝΕΣ ΕΠΙΓΡΑΦΕΣ

ΠΟΛΥΤΙΜΑ ΦΟΡΤΙΑ ΤΡΟΦΙΜΩΝ

Τὰ καημένα τὰ καρροτσάκια! Πόσο τὰ περιφρονούσαμε ἄλλοτε. Τι ἀκαταδεξία ἀπέναντί τους. Περιμένανε στὸ σιδηροδρομικὸ σταθμὸ καθαρά, καθαρά, τρέλλα στὴ λαδομπογιά, φρέσκα, ἑλκυστικά, ἕτοιμα νὰ δεχθοῦν τὴ καβαρύτερη βαλίτσα, γιὰ ἕνα τάλληρο, γιὰ δυὸ τὸ πολύ. Μὰ κανεὶς δὲν τὰ πλησίαζε. Ὁ ταξιδιώτης ἀπὸ τὴν ἐπαρχία κουβαλοῦσε μόνος τὶς ἀποσκευές του ἢ χρησιμοποιοῦσε τὸ τράμ κι ἂν ἤτανε πλουσιώτερος, ἔπαιρνε τὸ ταξί.

Τώρα; Τί γίνεται τώρα; Σὲ κάθε πλατεῖα καὶ σὲ κάθε γωνιά, μπροστὰ ἀπὸ ὁποιοδήποτε μπακάλικο ἢ σπίτι, στὴ λεωφόρο ἢ στὸ γειτονικὸ δρομάκο, ὑπάρχει, περνᾶ, βασιλεύει, κυ-

Τὸ νεώτερο ἀθηναϊκο ταξὶ τρέχει ὅσο καὶ τὰ παλαιά, ἀρκεῖ νὰ εἶναι... κατήφορος.

ριαρχεῖ τὸ καρροτσάκι. Ἕνα καρροτσάκι νέο, ἰδιότυπο, ποὺ δὲν ἔχει καμμιὰ σχέσι μὲ τὸ παληό. Ἕνα κασσόνι μὲ δυὸ ρόδες. Αὐτὸ εἶνε τὸ νέο καρροτσάκι.

Κάθε κατασκευαστής του —εἶνε ἄπειροι αὐτοὶ ποὺ φκιάνουν τὸ νέο μεταφορικὸ μέσο — ἔχει βάλει πάνω τὴ σφραγῖδα, τὴν προσωπική του σφραγῖδα. Ὅλη ἡ ἀκαλαισθησία, ὅλη ἡ ἀδεξιότητα ζωγραφίζονται κτυπητὰ στὸ κασσόνι. Τὸ βλέπετε καὶ καταλαβαίνετε ἀμέσως, ὅτι εἶνε προϊὸν ἀνάγκης, γέννημα τῆς στιγμῆς. Κτυποῦν στὸ μάτι τὰ ξύλα του. Κάποια κάσσα ἀπὸ τὰ πέρατα τοῦ κόσμου εἶχε φθάσει κάποτε στὸν Πειραιᾶ. Πέρασε τὸ Τελωνεῖο καὶ κατέληξε στὴν ἀγορὰ ἢ στὴν ἀποθήκη τοῦ μπακάλη. Ἀπ' ἐκεῖ τὴν πῆρε ὁ μικρός. Βλέπετε ἐπάνω της τὰ ξενικὰ γράμματα *Piraus-Griechenland*. Ἀπὸ τὴ Γερμανία εἶχεν ἔλθει μὲ ποιὸς ξέρει τί πολύτιμα ὑφάσματα. Ἔτσι ὅπως ἤτανε τὰ ξύλα της, ξανακαρφωθήκανε σὲ διαστάσεις μικρότερες καὶ νά σου, τὸ καρροτσάκι τῆς ἐποχῆς.

Ἡ ματιά σας πέφτει στὶς ρόδες ἑνὸς ἄλλου κασσονιοῦ, ποὺ κατρακυλᾶ δίπλα σας τὴν ὁδὸ Ἱπποκράτους, χωρὶς ν' ἀφίνη τὸν παραμικρὸ θόρυβο. Πολὺ

—Καρρότσι ἐδῶῶῶ !...

διακριτικὸ καρροτσάκι: γυρνᾶτε καὶ τὸ βλέπετε. Οἱ δυὸ ρόδες του εἶνε ἀπὸ καουτσούκ. Τί πολυτέλεια. Καὶ τί μεγαλεῖα! Βγαίνουν πάνω ἀπὸ τὸ κασσόνι. Σὰν ξεπεσμένος ἀριστοκράτης μοιάζει αὐτὸ τὸ ἀθόρυβο δίτροχο κι' αὐτὸς ποὺ τὸ «κυβερνᾶ» εἶνε ὅλο ὑπερηφάνεια.

Δὲν κάνετε μήτε δυὸ βήματα καὶ σὰν νὰ κατρακυλᾶνε πρὸς τὸ μέρος σας κομμάτια βράχοι. Νομίζετε πὼς ξεκόπηκαν ἀπ' τὸ Λυκαβηττὸ καὶ θὰ σᾶς βαρέσουν κατακέφαλα.

— Γκρρρρ—Κρρρραν.

Ἔρχεται μὲ βιασύνη. Τρέχει, κατρακυλᾶ. Θορυβοῦν οἱ ρόδες, βουΐζει τὸ κασσόνι, ἀναστενάζει. Τραβιέστε πέρα, μὴ σᾶς πατήση καὶ γυρίζετε πίσω σας νὰ ἰδῆτε. Τὸ δίτροχο κασσονάκι κουβαλᾶ δυὸ...ἐπιβάτες. Βρέχει καὶ ὁ ἕνας ἀπ' αὐτοὺς καθισμένος ὀκλαδὸν σὰ γνήσιος Ἀνατολίτης κρατᾶ στὰ χέρια του μιὰ ὀμπρέλλα. Ὁ ἄλλος ὁ νεαρός, τὸν ὁδηγεῖ ὄρθιος. Ἔχει προσθέσει ἕνα τρίτο μικρὸ τροχὸ πρὸς τὸ πίσω μέρος καὶ πάνω ἀπ' αὐτὸν ἕνα σανίδι γιὰ νὰ πατᾶ. Τὸ ἕνα πόδι του ἀκουμπᾶ πάνω στὸ σανίδι, τὸ ἄλλο κρέμεται στὸν ἀέρα, γιὰ νὰ ζυγίζη καὶ νὰ κρατᾶ τὴν ἰσορροπία. Κυλᾶνε ἔτσι τὸν κατήφορο μιὰ χαρά... Ἕνα ἀληθινὸ ταξάκι εἶνε αὐτὸ τὸ δίτροχο. Ταξάκι θαῦμα. Ἀλλὰ μόνο γιὰ τὸν κατήφορο.

Ἀντίθετη εἶνε ἡ εἰκόνα στοὺς ἀνηφορικοὺς δρόμους. Τὸ μικρὸ βρώμικο κασσονάκι φορτωμένο τὴ σταφίδα «τοῦ μπακάλη τοῦ γειτονικοῦ» ἀσθμαίνει σὰν τὸ «θηρίο» τῆς Κηφισιᾶς. Καὶ τὸ μικρὸ μπακαλόπαιδο μαρτυρεῖ νὰ τὸ σπρώξη λίγο ἀκόμα καὶ λίγο ἀκόμα, στὴν ἀτελείωτη ἀνηφοριὰ τῆς Λεωφόρου Ἀλεξάνδρας. Λίγο πιὸ πίσω ἄλλο κασσονάκι κουβαλᾶ τὰ τρόφιμα τοῦ εὐτυχισμένου συμπολίτη, ποὺ ἂν κρίνη κανεὶς ἀπὸ τὴ συσκευασία τους, ἔρχουνται ἀπὸ τὴν ἐπαρχία. Μὲ πόση ὑπερηφάνεια ἀλλὰ καὶ μὲ πόση καχυποψία παρακολουθεῖ ὁ κάτοχος αὐτὰ τὰ πολύτιμα τρόφιμα καὶ τὸν μικρὸ ποὺ σπρώχνει τὸ καρρότσι. Κάθε καθυστέρησι εἶνε καὶ μιὰ ἀγωνία, κάθε ἀδιάκριτο μάτι τοῦ διαβάτη καὶ μιὰ βαθειὰ ὑποψία.

Βαλιτσοῦλες μὲ πολύτιμα τρόφιμα καὶ καλάθια καὶ κάθε εἶδος ἐμπορεύματα μεταφέρονται μὲ τὴν....ἐξευτελιστικὴ τιμὴ τῶν 500 ἢ 1000 δραχμῶν.
(Σκίτσα τοῦ κ. Ε. Τερζοπούλου)

Εἶνε μιὰ λύσι τὰ καρροτσάκια καὶ νὰ μὴν τὰ περιφρονοῦμε. Μᾶς ἐξυπηρετοῦν τὰ κασσονάκια καὶ τὸ ξέρουν καλὰ οἱ κάτοχοί τους. Γι' αὐτὸ καὶ ζητοῦν «κάτι παραπάνω» ἀπὸ τὸ «κανονικό». Ἀπὸ τὴν Κολοκυνθοῦ, στὸ Τέρμα Ἀμπελοκήπων 600 δραχμές... Ἀπὸ τὴν Ὁμόνοια στὸ Κουκάκι....400. Καὶ παρακάτω ἕνα χιλιάρικο!

Ὅποιος ἔχει δίνει..

Β.—

Artikel in der Athener Tageszeitung „Vradhini" vom 16.2.1942 über die behelfsmäßigen einachsigen Karren („karotsakia"), ein Haupttransportmittel der Besatzungszeit Archiv Makis Exarchopoulos

Schuhputzer

Flickschuster

Fliegender Händler

Teeverkäufer mit tragbarem Samowar

Derselbe, rechts hinten ein italienischer Soldat

Mistras, Kirche Ag. Dimitrios (Mitropolis), 27.5.1942

Kloster Kaisariani bei Athen, 12.10.1943

Mistras, Kirche und Kloster Hodigitria - Afendiko, 30.6.1942

Markt in Aigio, östlich von Patras, Peloponnes; im Hintergrund die von Ernst Ziller erbaute Markthalle (heute: Archäologisches Museum)

Kinder auf dem Markt in Aigio

Gebrauchtwarenhändler am Markttag in Aigio

Markt in Aigio

Solche Fotoapparate waren bis kurz vor der Millenniumswende noch am Weißen Turm in Thessaloniki im Einsatz.

Oberstadt von Thessaloniki, Tor der byzantinischen Mauer mit Blick auf die Agion-Anargyron-Kirche, 25.11.1943. Der heute verschwundene Glockenturm wurde nach 1912 auf die Basis eines türkischen Minaretts gesetzt.

Begräbnis

Thessaloniki, Akropolisbefestigung und Stadtmauer, 25.11.1943, ganz links eine Luftschutzsirene, daneben eine optische Luftschutzwarnanlage

25.11.43: Oberstadt von Thessaloniki: Behausung kleinasiatischer Flüchtlinge, rechts im Hintergrund die byzantinische Stadtmauer

Oberstadt von Thessaloniki 25.11.43. Diese Häuser waren 1935 von der staatlichen Fürsorge (Pronoia) für Kleinasienflüchtlinge errichtet worden

Oberstadt von Thessaloniki mit Blick auf den Thermaischen Golf, 25.11.1943. Gut zu erkennen die byzantinische Stadtmauer und der Runde Turm (Trigonion, Kettenturm)

Athen, Syntagma-Platz: Evzonenwache am Grabmal des Unbekannten Soldaten

Theater von Epidavros mit Parodos (Seitenzugang zur Bühne)

Theater von Epidavros, 19.10.1943

Athen, Prohedrie (Ehrensitze) im Dionysos-Theater

Mykene, Gräberrund A, 19.10.1943

Altes Theater in Argos, 28.11.1942

Das Löwentor in Mykene, 26.5.1942

Löwentor, Rückseite, 26.5.1942

Tiryns, Kasematten der mykenischen Burg, mit Blick auf den Palamedes-Burgberg von Nafplion, 19.10.1943

Mykene, Eingang zum sog. Schatzhaus des Atreus, 29.6.1942

Sounion, Poseidontempel, 29.4.1942 (Schwind in der Mitte, mit unbekannten Luftwaffenangehörigen)

Sounion, Poseidontempel, 29.4.1942

Sounion, Poseidontempel, 29.4.1942

Athen, Tempel des Olympischen Zeus

Athen Akropolis, Nike-Tempel

Abendstimmung

Δέν περίμενα απο εναν Γερμανο στρατιώτη να βγάλει τέτοιες φωτογραφίες!!

Θερμά συγχαρητήρια
Καμπίτη

„Ich hätte von einem deutschen Soldaten solche Aufnahmen nicht erwartet."
Eintrag im Besucherbuch zur Ausstellung ausgewählter Bilder Schwinds 1997 im nordgriechischen Naoussa

Schwindsche Familiengruft im neoklassizistischen Stil auf dem Evangelischen Zentralfriedhof in Regensburg. (Schwind war katholischer Konfession, seine erste Ehefrau Martha war evangelisch)